潮新書

藤本篤志
FUJIMOTO Atsushi

どん底営業部が常勝軍団になるまで

622

新潮社

はじめに

私は営業コンサルティング事業を始めて一〇年になる。請け負ったクライアントは約七〇社にも上る。その中でもとりわけ印象的な企業がある。

その企業はなんと「三〇〇連勝」を達成した。三〇〇週連続で目標を達成したということだ（二〇一五年五月一四日現在、三二〇連勝継続中）。

いろいろな企業の営業改革を手伝ってきたが、これほどダイナミックで感動的な営業改革はなかった。数多くのドラマもあった。

私は、この「奇跡の営業改革」を、ぜひとも世の中に広めたいと考え始めた。この実話こそが、業績不振に悩む営業関係者にとって、最強の参考書になり得ると考えたからだ。

クライアントの名は、「生活協同組合コープさっぽろ」という。

総売上高は全国生協の二番目なので、社名を知っている方もいらっしゃるだろう。そのような大企業の中に、かつて〝どん底部隊〟と呼ばれていた営業部があった。正式名称を「宅配営業部」という。営業改革が始まった二〇〇八年当時は、店舗事業が花形部署で、宅配営業部はマイナー部署だったのだ。

それが、いまや宅配営業部がコープさっぽろ全体を支える屋台骨となる勢いと言ってもよい。この約七年で何が変わったのか。

本書では、コープさっぽろの全面協力を得て、そのストーリーに沿いながら、改革のプロセスを説明させていただく。登場する人物もすべて実在の人たちだ。しかしそのメソッドは、どの企業でも役に立つはずである。私の営業改革の経験がみなさんのお役に立つことができれば、この上ない喜びだ。

営業は奥が深い。多様な理論をうまく交差させなければならないからだ。だからこそ、魅力的でもある。

二〇一五年五月

藤本篤志

どん底営業部が常勝軍団になるまで　目次

コープさっぽろ社員

序　章　〝どん底部隊〟が常勝軍団に

一三連勝の夜

その夜、宅配事業本部長である宮嶋美典は男泣きした。

二〇〇九年六月、最終木曜日。コープさっぽろ宅配事業本部のオフィス。一週間の新規顧客獲得数の集計日である。この週の目標は七二四件。しかし、午後六時の時点の獲得数は七〇四件だった。二〇件も足りない。〝敗戦〟濃厚の状況だ。

「もはやここまでか……」

宮嶋本部長の脳裏に「仕切り直し」という言葉が浮かぶ。

北海道札幌市に本拠地を置くコープさっぽろの宅配事業本部は、前週まで一二週間連続で営業目標を達成していた。

実は、こんなことはかつて一度もなかった。一年前までは毎年のように、年五二週

「全敗」だった。目標を達成することすら「奇跡の領域」だったのだ。

ところが、前年の二〇〇八年七月から始めた営業改革によって、社員の意識が飛躍的に上がり、徐々に新規顧客獲得数は増えていった。営業改革がスタートして一四週目に初めて目標を達成したときは、そこにいる誰もが夢を見ているようだったという。

しかし、それで終わりではなかった。その後も目標をたびたびクリアするようになる。やがて、誰もが想像もしていなかった「連勝街道」が始まった。そして、三か月間、一二週間連続で目標を達成していたのである。

ここまで頑張れたんだ。連勝記録がストップしても、どうってことない。気持ちを入れ替えて、来週から出直せばいい——。

宮嶋本部長はそう自分に言い聞かせたという。ところがそのとき、宅配営業の責任者である行沢隆部長の独特な方言の大声が聞こえてきた。

「一チーム一件でいいから、今日中に新規の獲得、何とかしてほしいんだわ！　何とかなるべー！」

行沢部長が、北海道全域に配属される三〇人の営業マネジャーに奮起を促すため、電話攻勢を始めたのだ。

宮嶋本部長の視線に気づいた行沢部長が、受話器を持ちながらやや興奮した声で言った。

「本部長、今日ここで連勝を途切れさせるのはもったいないべ。まだ時間があるんで待ってください。現場は必ずやってくれますんで！」

当時、宅配事業本部内にある宅配営業部の営業マンは約一三〇名だった。それが北海道全域三〇のエリアに分かれて、個人宅に対する宅配加入の営業を展開していた。

午後七時を過ぎ、札幌の街が暗くなりかけた頃、道内各地からぽつりぽつりと新規顧客獲得の報告が届き始めた。

「今、うちのチームの営業マンから一件、新規獲得の連絡が入りました」

「目標まであと何件ですか？」

「もう三〇分ほどもらえれば、うちのチームでさらに一件、契約までもっていけそうです」

各エリアの営業マネジャーから次々と問い合わせや確認の電話が入る。誰もあきらめていない。

「みんな、頑張ってくれている！」

宮嶋本部長は汗ばんだこぶしを握りしめた。

新規獲得数は、九時過ぎには七二三件目の連絡が入り、いよいよあと一件となった。

九時半、電話が鳴った。

「おっ、そうか！　一件取れたか！」

電話を置いた行沢部長が本部フロアに響き渡る声で叫んだ。

「一三連勝達成だ！」

宮嶋本部長の涙は、そのときこぼれ落ちた。

「あの夜、思ってもいなかった展開で、一三週間連続達成ができました。うちの宅配営業部の営業マンたちがこんなに頑張るなんて――。涙があふれてきました」

結果が社員を変える

前年まで、宅配営業部は、会社の二軍的な部署と思われていた。店舗事業など第一線の部署から退いた職員が多かったのだ。

二〇〇八年の時点での平均年齢は五〇・一歳。宅配営業部に異動になった多くの職員は、そこで静かに定年を迎える。

「オレたちがいるのは〝どん底部隊〟だ」

宅配営業部の営業マン自身が、自虐的にこう言っていたほどだ。宮嶋本部長は当時をこうふり返る。

「当然みんなやる気なんてありません。いやね、実際にはまじめで実直な人間ばかりなんですよ。でも、店舗で働いていた職員が多いということもあり、宅配の顧客を増やすにはどうすればいいか、わからなかったんですよ。そんな彼らが、本気を見せてくれました。意地を見せてくれました。嬉しかった」

しかし、その後も目標を達成し続け、五年半をかけて「三〇〇週連続達成」という記録にまで至った。宮嶋本部長も、行沢部長も、北海道全域にいる宅配事業本部の職員たちも予想すらしていなかったという。営業コンサルタントとして携わった私もまた、予想できなかった。

ふり返れば、三〇〇週連続「無敗記録」の鍵となったのが、この一三週目だった。あの時点ではまだ、宅配営業部は無敗をここまで続けるだけの営業力を備えていなかった。しかし、連勝ストップのピンチを迎えたとき、過去には発揮したことのない底力を見せた。全員で力を合わせることによって、実力以上の結果をたぐり寄せた。

「本気になればできる！」

あの夜、北海道全域に配属されていた誰もが確信を持った。

結果は事実だ。現実だ。だからこそ、自信を持つことができ、営業マン全員のステージアップになった。

第1章　とにかく「数」と「量」を増やせ

トップの決断力とスピード

コープさっぽろ宅配事業本部に営業コンサルタントとしてかかわることになったきっかけは、二〇〇八年五月一五日、札幌市内で行われた私の講演会だった。

札幌に本社を置き、販売促進支援をメイン事業にしたある上場会社が取引会社を招いて開催した講演会だった。その招かれた聴講者の中に、コープさっぽろの方々が数名いたのだ。

講演会の数日後、当時の宅配事業本部長から一本の電話がかかってきた。

「藤本さんにぜひとも営業改革をお手伝いいただきたい」

内容、条件面を詰めるために私は札幌に飛んだ。

指定された札幌市内のホテルのロビーラウンジに現れたのは、コープさっぽろのトップである大見英明理事長だった。

実は、ここですでに、改革成功の一つ目の条件をクリアしている。トップの決断力とそのスピードだ。

大見理事長は、開口一番、こう切り出した。

「社内には外部に改革を委託することに反対する者もいる。しかし私は、藤本さんに改革の道筋を立てていただくことを決断した。すぐにでもスタートしたいのだが、可能だろうか?」

社内改革を内部の力だけで成功させるのは確かに難しい。簡単な理屈だ。そもそも内部で改革をできる力があれば、改革を必要とする事態を招くことはないからだ。かと言って、外部に任せる決断もなかなかできない。内部の人間、とりわけ管理職や責任者の中に猛反対をする者が現れるからだ。彼らからすると、外部委託は過去の自分を否定されることになるので、阻止しなければならない。

だからこそ、トップには強い信念が必要だ。

いったんは営業コンサルティングの相談をしてきたのに、社内の営業責任者の反対にあい、結局キャンセルを申し出る企業トップを私はどれほど見てきたことか。責任者は

「今度こそ死に物狂いで頑張りますから」という決まり文句を吐く。

しかし大見理事長は、反対の声すら出させないスピードで営業改革を開始させた。この強い信念が、コープさっぽろの奇跡の営業改革を実現させた源泉であるのは間違いない。大見理事長は、その後も、何度も改革推進を後押しすることになる。

営業力の「三つの方程式」

二〇〇八年七月三日、第一回目のコンサルティングが始まった。

札幌市発寒《はっさむ》にある本社講堂には二〇〇名以上が集まった。当時の宅配営業職員は一三〇名。大見理事長が、宅配営業以外の職員にも「勉強してこい」とはっぱをかけたそうだ。

全社一丸となって営業改革を受け入れる――これが二つ目の改革成功の条件だ。

コンサルティングの形式は毎回違うのだが、第一回目はレクチャー形式を取り入れた。基本となる営業理論を学んでもらうためだ。

テーマは「営業力の基礎理論～特殊なことをする必要は何もありません～」。

拙著『御社の営業がダメな理由』（新潮新書）の中でも紹介した、「営業力を解き明かす三つの方程式」を解説する内容だ。
「三つの方程式」は、その後改良を重ねて、次のとおりとなっている。

営　業　力＝営業量（量）×営業能力（質）
営　業　量＝仕事時間－（意識的怠慢時間＋結果的怠慢時間）
営業能力＝（知識力＋センス力）×印象力

営業改革の基本は、この「三つの方程式」に基づいて、それぞれの要素の現状を分析し、対策を打つことにある。これを念頭に置いて取り組めば、営業改革は着実に成功する。

私がいつも考えている営業組織の強化とは、他社から優秀な営業マンを引き抜くことでもなければ、優秀な営業マンの入社を期待することでもない。ましてや、何らかの特効薬を用意することでもない。

いまある戦力――それがたとえ凡人の集まりであっても――、「現有戦力」の強化だ。
そのためには、方程式通りに一人一人の営業量と営業能力を増やす、という単純なことでいい。現有戦力をフル活用することで、組織全体の営業成績をトータルで、安定的に上げるのだ。

「凡人だけで最強の営業部を作る」

これが私の目指すところなのだ。

「自分のスタイル」を捨てるために

コープさっぽろの営業改革の第一段階では、営業の「量」を徹底的に追求することにした。ほとんどのクライアントに対しても、実はこの対策を最初に行ってもらう。

企業が営業改革を行おうとする場合、つい「質」的なところから改革を進めがちだ。営業の内容を見直し、ノウハウやテクニックを強化すれば、営業成績が上がると信じている。そんな企業が大半だ。

もちろん、「三つの方程式」でも指摘しているとおり、営業の質の向上は大切ではある。しかし、営業の質を上げるには、どうしても手間と時間がかかる。テクニックやノウハウを含めた「質」を向上させるということは、あまり成果が上がらない自分のスタイルを捨て、他人のより良いやり方を取り入れるということだ。

ところが、営業マンはなかなか〝自分〟を捨てることができない。特にベテランほどその傾向が著しい。営業改革で新人を戦力化しやすいのは、新人はまだ〝自分〟が確立されていないからだ。

結局、〝自分を捨て他人のやり方を受け入れる〟という意識改革を同時に行わなければならない。これが、とても骨が折れる。そして、挫折する。だから営業改革はなかなか成功しない。

その点、「営業量」はすぐにでも増やせる。数を増やすのは、基本的には、実績も、センスも、学歴も、関係ない。その気になれば誰にでもできることだ。しかも、これは見逃されがちなことだが、すぐに結果に現れる。数字に結びつきやすい。

まずは営業量を増やし、泥臭く数字を上げること。その間にじわじわと質の向上をはかっていく。

医療で言えば、営業量を増やすのは、対症療法と同じ役割だ。そして、質の向上は、根本療法である。たとえば、風邪をひいて高熱に苦しんでいるとき、まずは解熱剤による対症療法で熱を下げる。そして、体を楽にしておいて、睡眠をとり、栄養をとりといった根本療法で体力を回復させていく。

営業も同じだ。多少強引でも、量を増やすという荒療治によって数字を上げ、「見た目の成績」が上がっているうちに質の改善をはかるのだ。

しかも、このやり方は、数字以外の「奇妙な現象」をもたらす。

業務命令で営業量を増やすという荒療治をしている間に、営業マン個々の意識にある変化が訪れる。〝自分〟を捨てることに抵抗がなくなるのだ。

数は質と違って、簡単に順位が付けられ、社内で比較される。以前はいろんな言い訳を言えただろうが、「営業数を増やす」という単純なミッションは頑張れば誰でもできることだ。数が少なければ、「サボっているという目で見られているのではないか？」「会社に反発しているだけの〝出来《でき》損《そこ》ない〟と思われてしまうのではないか？」などという疑心と不安を与える。「自分のスタイル」をつらぬいている者も、いやいやながら数をこなすようになる。

その結果、気が付いたら、「量より質だ」と考えがちな〝自分〟を捨てていることになっている。一度捨てることができれば、次も捨てやすい。

改革初期の「三つのルール」

「営業量」とは実際に商談をしている時間量のことを意味する。その手段として、直接面談だけではなく、電話商談も含める。

繰り返しになるが、意外にも量や数を重視した営業改革を行おうとする企業は少ないのが現状だ。これまで営業コンサルタントとして約七〇社にかかわったが、営業量対策を重視していた企業はほとんどなかった。正確に言うと、社長や営業役員が数を増やす号令をかけているところは結構あったのだが、なかなか長続きしないのが現実なのだ。

その原因は二つある。

一つは、号令者が優柔不断で、現場からいろいろな理由で「量を増やせない」と訴えられると、すぐに号令を引っ込めてしまうことにある。

「量が多くなると、それを報告にまとめるデスクワークも多くなり、残業を大幅に増やさざるを得なくなります」

「量が多くなると、その分商談時間が短くなり、商談の質が低下し、成約率が下がります」

「営業にとって大切なのは商談です。どれだけ件数をこなしても商談がうまくならなければ同じです。数の目標よりももっといろいろなノウハウを教えてください」もっともらしい言い訳を並べられて抵抗されると、営業の本質を見抜けない号令者であれば腰が折れてしまうだろう。

二つ目の原因は、「営業量の増やし方がわからない」というものだ。営業量は、ただ「増やせ！」と命令しても増えない。増やすためには、その時間の分、何かを減らさなければならないからだ。つまり、業務命令は、「営業量を増やせ！」ではなく、「〇〇〇〇を減らせ！」でなければ実効性はない。

この〝〇〇〇〇〟こそ、営業量改革を成功させる重要ポイントの一つと言っても良く、「三つの方程式」にその答えがある。

それは、「結果的怠慢時間」だ。これを理解しない限り営業量を増やすことはできない。

以上のことを踏まえた上で、初期段階の「改革」は、次の三つのルールを設定することから始まる。それをこれから一つずつ説明しよう。

①営業件数（回る件数）をまずは「二倍」で設定する

②「結果的怠慢時間」を削減する
③もともと成績が優秀な社員は、好きなようにやらせる

まず①の「営業件数を二倍で設定する」について——。

「率」よりも「数」で勝負する

たとえば、プロ野球の打者は打率で評価される。安打数が少なくても、打率のいい選手のほうが評価されるし、打撃成績の順位も打率で決まる。

しかし、営業の場合は、「率」は関係ない。低受注率でも一件でも受注数が多ければそのほうがいい。受注数は売上と利益に直結するからだ。実際に、どの企業でも成績優秀者は貪欲にアタックするので受注率は案外低い。そのために営業数を二倍に設定するのだ。

しかし、はなから「二倍は無理です」と異議を唱える人は多い。「増やす数の適正値を調査してから目標値を決めましょう」という意見もよく聞く。一見正論のように聞こえるが、時間の無駄、機会損失以外の何ものでもない。

どうやらコンサルタントの存在価値はここにあるようだ。私は、沢山の企業を見てき

た中で、「営業量を二倍に」という提案をしている。決して無謀な数字でもなければ、無意味な数字でもない。「二倍は無理だ」と主張していた企業でも、結果的には二倍以上の数字を叩き出す。業種業態は関係ない。内部の論理では導けない、斬新かつ現実的な目標を掲げることこそ、外部の人間の役割というものだ。

「悪球」にも手を出す

もちろん、営業数の目標を「二倍」に設定したからといって、実際の営業数も、そして成績も、すぐに二倍になるわけではない。

いろいろと原因は考えられるが、主なものは二つある。一つは、嫌々回る人がはじめは多く、「やればいいんだろ」という意識があり、架空計上をしたり、単なる数合わせになってしまい、具体的な成果に結びつきにくいということ。しかし、これはマネジメントの軸さえブレなければ時間が解決してくれるので、それほど問題にはならない。

もう一つの原因こそよく理解しておかなければならない。なぜならこの理解不足が、営業数の二倍という目標に対する強い意志を奪う危険性があるからだ。

その原因とは、営業数を二倍にするためには、いままで避けてきた難易度の高い案件もアタックする必要が出てくることだ。さきほどの野球にたとえると、「悪球」にも手を出すということだ。第一の原因の単なる数合わせの無意味さに気づき、結果に対しても本腰を入れるようになると必ず目の前に立ちはだかる壁と言っても良い。もともと能力の高い営業マンは、最初から営業数に比例した結果を出せるかもしれないが、大半を占める〝凡人〟営業マンは、受注までこぎつけるのに苦労することになる。

しかし、これが営業数二倍の方針の裏に隠された真の目的でもある。営業数を二倍にするためにいままで捨ててきた難しい案件も再訪問せざるを得なくなる。それによって難しい案件に対する商談経験を積むようになってくる。その経験を通して、必然的に営業能力が磨かれ、いままで受注できなかったレベルの案件がポツリポツリと増えてくる。なかには、上手く上司を使うコツを身に付けたり、頻度の高い接近によってお客様側の判断が変わることもあるだろう。

つまり、営業数二倍という「数」がレベルの高い案件を受注できる能力という「質」をつくりだすようになるのだ。

したがって、その「質」がある程度高まるまでは、「数」が二倍になったからといって、受注という結果が最初から比例して二倍になるわけではないのだ。

コープさっぽろも、営業コンサルティングを始めた二〇〇八年度、第一期目の改革開始前後の営業量は一・八倍、そして成績は一・二倍にとどまった。しかし、営業件数の目標を二倍にしたのに成績がすぐに二倍にならないからといって、効率が悪い、結果が出ていないと早合点する必要はない。

第２章　無駄は徹底的に排除する

仕事時間は増やさない

先にも触れたとおり、営業量を増やす際には大事なルールがある。目標の営業量を二倍にしても、仕事時間は増やさないことを前提とすることだ。

これがルール②「結果的怠慢時間の削減」だ。

前述の、「営業量＝仕事時間－（意識的怠慢時間＋結果的怠慢時間）」という方程式に照らし合わせれば、営業量を増やすためには、仕事時間を増やすか、怠慢時間を減らせばいい。しかしこのとき、営業時間を増やすという、安直なほうのやり方に飛びついてはいけない。

初期段階では、組織的に無駄な作業を洗い出し、これを徹底的に排除しなくてはいけない。怠慢時間の削減ができなければ、結局、〝改革〟は絵に描いた餅になってしまう。

ところが、ほとんどの営業改革案に、「無駄の排除」は盛り込まれない。営業数を増やす、ノウハウを学ぶ、目新しい方法を導入するなど、〝足し算〟の対策には積極的でも、「無駄の排除」という〝引き算〟の対策はおろそかにしがちだ。気づいていても、わざわざ作戦にいれるほどの重要なことではない、と思ってしまう。これも、多くの営業改革が失敗に終わる理由の一つである。

「結果的怠慢時間」を自覚する

仕事の怠慢には、「意識的怠慢」と「結果的怠慢」がある。前者は本人が意識して息を抜く、あるいはサボること。勤務中の寄り道、喫茶店での休憩、喫煙や井戸端会議もこれにあたる。

一方で、「結果的怠慢」とは、本人にその自覚がないものの、結果として無駄になっていることだ。

まずは移動時間。これがブラックボックスになっている。どの企業も営業マンの移動時間を軽視しているが、成績が悪い営業マンの大半は、商談より移動の時間のほうが長い。デスクワークと会議も実は無駄が多い。また、トラブルが多い会社であれば、その対応時間も馬鹿にならない。

企業によって多少の違いはあるものの、私がリサーチしたところ、標準的な営業マンは、仕事時間のうち結果的怠慢時間が実に七割にも達していた。講演会やコンサルタント先などでこの話をするとたいていの人は驚く。「少なくとも五割の時間は営業しているだろう」と。営業マンがしょっちゅう外に出ているために、きちんと営業していると錯覚してしまう。しかし、平均的な営業マンの営業量の実態は、たったの二割に過ぎないのだ。

もちろん、移動時間やデスクワークなどの時間をゼロにはできない。しかし、トップクラスの営業マンは、結果的怠慢時間が五割と少なく、その二割分を営業時間に回している。つまり、営業量が四割に達している。ここが成績の差になっているのだ。

「星形移動」は非効率

では、具体的にはどんな工夫をすればいいのだろう――。

まずは、移動時間の削減だ。

たとえば法人営業の営業マンなら、営業先のいいなりではなく、営業マン本人のスケジューリングでアポを組むことだ。もし方向が正反対の営業先から同じ日の希望を出されたら、どちらかを違う日に変更してもらえばいい。成績が悪い営業マンはこれができない。営業先に気を遣いすぎて、非効率なスケジュールになってしまう。

個人宅営業の場合でも、意外に移動時間の効率差は激しい。

個人宅が相手の場合、営業をかけるエリアはたいてい地域ごとになる。そのため、移動効率が悪いというイメージは持たれにくいかもしれない。しかし、同じエリア内でも、無駄のない動線で動くのと、あちらこちらに動き回る「星形移動」（図表参照）ではだいぶ効率が違ってくる。もちろんこれは、法人営業でも同じことが言える。

【星形移動の弊害】

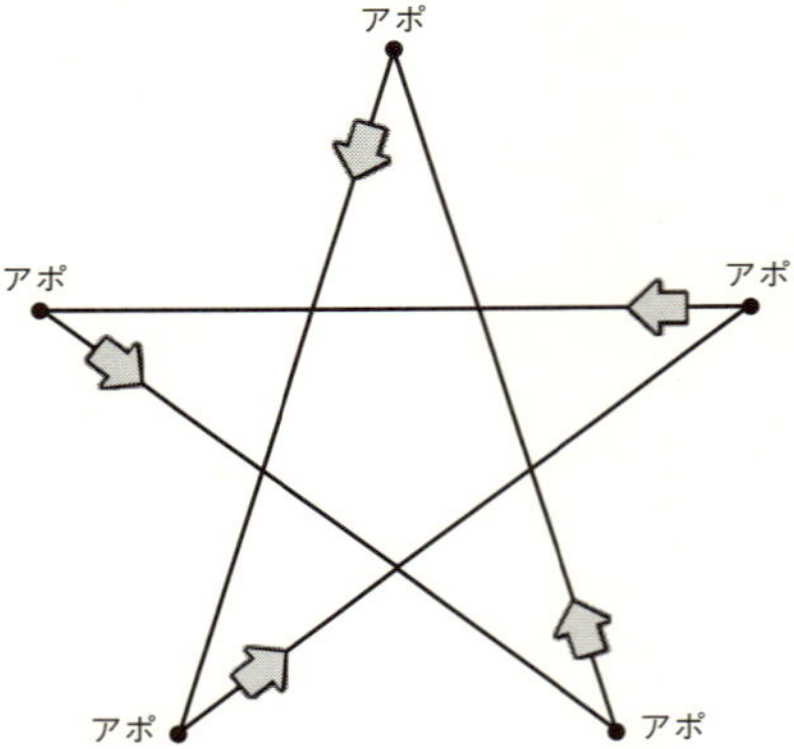

同じエリア内でも「星形」の動線で動くと、移動時間の無駄が増え、効率が悪い。

コープさっぽろは、個人宅への営業が主だ。営業コンサルティングを開始するまでの平均訪問件数は、四〇件弱だった。いくら大地の広い北海道と雖も、四〇件弱は少な過ぎる。移動効率を考えずに営業しているのは明らかだった。

しかし、改革当初は、まだ現状分析もできていない状態なので、的確な対策は打てない。したがって、シンプルだが、「一日一〇〇ローラー」をコンサルティングのたびに言い続け、日々の行動データ管理を徹底することで、営業量増加の必要性を刷り込み続けた。

トップの大見理事長自らが、「一日一〇〇ローラー」を徹底指示したことも大きく、現場の「やらざるを得ない」という意識付けだけで、営業量は増えた。

営業日報や企画書は書くな

営業日報も〝時間喰い虫〟の一つだ。外回りをしてこそ成果が上がるはずなのに、多くの会社の多くの営業部で、営業日報にはかなりの時間と労力が費やされている。

極端に言えば、営業日報なんてものは、営業の労働生産性を悪化させるだけのものだ。特に、進捗内容を〝作文〟させるような営業日報は最悪だ。営業日報を記録や報告代わりに使うのであれば、その日営業をした数、実際に商談できた営業先と結果だけがわかればいい。

そもそも、ほとんどの上司はしっかりと読まない。調べたところ、毎日必ず部下の営業日報に目を通し、情報源として活用したり、適切なアドバイスを与えている上司は、五％もいなかった。

営業マンのほうも、営業日報は正々堂々とデスクワークできる材料の一つだ。特に、成績が悪い社員ほどこれに時間をかけている。なぜなら、内容のない商談の中身を膨らませたり、ときには二、三分程度の立ち話を一時間ほどの商談に創作したりと、〝作文〟に忙しいからである。コンサルティング先で調べたことがあったが、実に二倍ほど時間差があった。

そもそも、ほとんどの営業マンにとって、デスクワークは無駄でしかない。

営業マン一人一人が企画書を作るのであれば、優秀な営業マンの企画書を流用させてもらい、その分の時間を外回りに当てたほうがいい。営業先にあわせなければいけない部分だけカスタマイズすれば、それだけでデスクワークは大幅に減る。自分で作る下手な企画書よりも、よほど内容のある提案ができるだろうし、そのプレゼンテーション経験が能力アップにつながる可能性もある。

コープさっぽろは、個人宅営業なので企画書を作る時間はもともとなかったが、営業日報や社内報告書の廃止、省力化などを積極推進した。

営業マンにデスクワークの手間と時間をかけなくてすむように力を尽くすのが、本当の意味での営業マネジメントだと言える。

ここに参考になる話がある。二〇一四年度のアカデミー賞主要五部門にノミネートされた「ウルフ・オブ・ウォールストリート」という映画がある。この原作は、ジョーダン・ベルフォートという世界的な営業コンサルタントの自叙伝だ。彼はかつて、自分の部下の〝ガラクタ人間たち〟を年収一億円以上稼げる営業マンに叩き上げた。自叙伝には次のように書いてある。

「(営業マンたちに)たった一つの活動――電話をかけること――に専念させていた。仕事はそれだけだった。出勤してきて、笑顔を一つ浮かべ、電話をかけ始める。退勤するまで、ずっと電話」

ここで読み取るべきことは、営業活動にいかに集中させる体制を取るかということだ。証券営業なので営業手段が電話に偏っているが、そのために書類作成などデスクワークの時間を極力少なくさせるマネジメント体制はとても重要なのだ。営業コンサルティング事業を通して、このことを痛切に感じる。

会議は全員の時間を奪う

会議も必要最低限にする。

週休二日制の企業が稼働するのは一週間に五日間だ。もし、毎週月曜日の午前中に会議をしたら、実質半日は潰れる。それだけで営業件数は一〇％も減る計算だ。そのロスに値するほどの充実した内容でもない限り、実にもったいない話だ。

営業成績の悪い会社ほど、「三人寄れば文殊の知恵」とばかりに営業会議が多い。その会議が営業量を減らし、成績を悪化させていることに気づいていない。特に、会議が大きな問題なのは、営業マン一人ではなく、参加した人間全員の時間を奪うことだ。一〇人が一時間会議をすれば、全体として一〇時間分の営業量が減る計算になる。これは、平均的営業マン（一日二時間）の一週間分の営業量を奪うに等しい。このような笑い話にもならない滑稽な状況をどれほど見てきただろうか。

そもそも、会議を有効利用できるのは、すでに成績のいい営業マンに限られる。彼らは情報収集にもそつがなく、他の事例もよく研究することに長けている。ところが、成績の悪い営業マンは、他人から学習しようとしない。学習しないから能力がアップしない。営業会議で成功事例の発表をさせている会社が多いが、それを学んでほしい下位の営業マンほど、上の空なのだ。

会議は、組織ぐるみで営業量を減じているようなものだ。絶対に必要な会議だけ残し、残した会議の時間も減らす。この大切さに早く気づくべきだ。

第3章　社員と組織を見極めよ

優秀な社員は放置する

最後に③の「もともと成績が優秀な社員は、好きなようにやらせる」ということだ。

拙著『御社の営業がダメな理由』で、どのような組織でも「二－六－二の法則」が成り立つということを書いた。二割の「優秀社員」、六割の「標準社員」、二割の「不良社員」で構成されているという法則だ。

営業改革が失敗する大きな理由に、実は、この「優秀な二割」の扱い方を間違えてしまうということがある。結論を言えば、どのような改革案になろうと、改革前から会社に貢献していた優秀社員は、改革案通りに働くことを免除してあげるべきだ。つまり、「放置」だ。

営業改革に失敗する会社は、この〝よき不平等〟ができない。全員一律に改革案に従わせ、数字を上げよと命じてしまう。これでは従来のやり方で優秀な成績を収めていた社員は、かえって成績を落とす結果になりかねない。もともと能力が認められ、社内で発言力が大きい優秀社員たちは、先頭に立って「改革反対」を叫ぶことになるだろう。挫折するのは目に見えている。

もう一つ狙いがある。優秀社員にいままで通りの営業スタイルをキープさせることで、暗黙知のまま放置されていた彼らのノウハウやテクニックをじっくりと分析できる、そして、他の社員にも役立つ部分を、形式知としてまとめ上げるのだ。これが、後に紹介する「営業バイブル」のエッセンスになる。

ちなみに、現実はおもしろいことに、優秀社員のほうがいつの間にか改革案を取り入れている傾向が強い。それだけ優秀な人は学習に貪欲だということだろう。

現場の声に惑わされない

さて、改革成功の鍵を握っているのはそれ以外の凡人社員の底上げだ。

そのためにマネジメント側にとって大切なことは、改革案を正式に発表したら、現場の声、特に言い訳や反発に揺れたりしないことだ。人は誰もが保守的な傾向にある。いままでと違うやり方、考え方を素直に受け入れることができる人は、とっくに優秀社員に入っている。凡人社員が凡人社員たる理由は、そこだ。

中途半端な自分のやり方、考え方を信じる。だから、結果も中途半端だ。誤解ないように注釈すると、本人たちには全く悪気はない。それどころか、〝自分なり〟に善意で意見しているのだ。改革案は間違っているのだから従ってはいけないと信じている。しかし、それが失敗を導いてしまうのだ。

成功のためにも、早い段階で「確かに成績は上向いてきている」と実感させることが第一歩だ。そのためには、「営業量の増加」という単純な方法を徹底させ、その方針をブレさせないことだ。

コープさっぽろは、全くブレなかった。確かに改革開始直後には、シラケて非協力的なベテラン職員が少なからずいた。しかし、後述する「一対一全員面談」を実行するなどして、反対意見に流されず、徹底的に改革を推進した。

現場の声に惑わされない強い信念――これが改革成功の三つ目の条件だ。

不良社員の「意識的怠慢」

下位二割の「不良社員」について、参考になる話を添えておく。

不良社員も改革で変わってくれることを期待して、標準社員と同じように指導すべきだが、その結果に一喜一憂してはならない。営業コンサルティングの経験で言えば、下位二割の不良社員の中には手の施しようがない人もいる。何をどう説明しても指導しても言われたとおりにやらないし、サボったりする。昼間にパチンコ店に行くし、映画も観るし、喫茶店で昼寝もする。「結果的怠慢」どころか「意識的怠慢」ばかりだ。

ビジネスマンの出入りが多いカフェチェーンやレストランの窓は、客がシートに座ったとき、顔の高さがすりガラスになっているところもある。あれは、客のサボりが外からばれないように工夫されているのだ。店側の企業努力なのである。

二〇〇七年には、『東京おさぼりマップ』なる本が話題になった。この本には次のようなメッセージが書かれている。

「〝おさぼり〟と聞いて、ダメ社員のすること、と思う人は多いのではないでしょうか？　でも、それは違います。〝おさぼり〟は、ハードな現代社会を生き抜くための自己防衛手段なのです。また、仕事への意欲を増し、業務を円滑に進め、ストレスとうまくつきあっていくための〝仕事のテクニック〟でもあります」

このような詭弁に共感するような人を無理やり改革の価値観に押し込めるのも、ある意味無駄な労力と言える。もちろん、こういう不良社員の中にも、改革によって生まれ変わる人はいるだろう。しかし、それが誰かを見極めるのは困難だし、その可能性にフォーカスして会社が時間やエネルギーを注ぐのはあまりにも非効率的なのだ。

このことを念頭に置いた上で、営業改革とは、凡人社員の〝自分なり〟を捨てさせること、徹底的なテコ入れで営業力を底上げすることを最優先する作業と言える。優秀営業マンが支える営業部から、凡人営業マンが支える営業部へのシフトチェンジなのだ。その結果、優秀営業マンに頼らない常勝軍団を作ることが可能となる。

優秀営業マンに支えられている営業組織は脆い。優秀営業マンが幹部昇格で現場を離れたり、他社によりよい条件で転職すれば、急降下する可能性も高い。

凡人が常勝軍団を支える――これは、理想論ではなく、果たさなければならない現実論なのだ。

組織は「広島カープ」を目指せ

日本のプロ野球界を見ればよくわかる。超一流の選手は、自分で努力をするし、成果を上げる。幹部である監督やコーチは道を誤らないように目配りしておけばいい。スランプに陥って悩んでいたら、そのときこそ手を差し伸べればいい。それだけでしっかりと働いてくれるのだ。

ただし、数年経つとさらに高いステージで働きたくなる。もっと高い条件で雇用してくれる環境で自分の力を発揮したくなる。もっと高い評価がほしくなる。それで、フリー・エージェントの権利を行使して他球団へ移籍したり、海の向こうのメジャーリーグへ渡ったりしてしまう。

二〇一三年のペナントレースで二四勝〇敗という偉業を成し遂げた楽天ゴールデンイーグルスの田中将大投手がいい例だ。この年、田中投手の活躍で楽天は球団創設以来初の日本一となった。しかし、田中投手がニューヨーク・ヤンキースへ去った二〇一四年、楽天は最下位となった。圧倒的な一人が抜けた穴はなかなか埋められないものだ。元日本ハムファイターズのダルビッシュ有選手しかり。元読売ジャイアンツの松井秀喜選手しかり。本人たちにとっては素晴らしい挑戦だが、去られた側の組織としてのチームのダメージは計り知れない。

それを思うと、企業は広島東洋カープを見習うべきだろう。慢性的に資金力が乏しいカープは、投打とも一流選手は他球団やメジャーへ去るという前提でチーム作りを行っている。組織力の強化に力を注いでいる。他のどの球団よりも練習量が多いと言われている。だから、エースや四番バッターが次々と抜けても、チームとして成立しているのだろう。

営業改革も同様だ。超一流には思うがままに頑張ってもらい、それ以外の社員の力量アップにより多くのコストとマネジメントのエネルギーをかけるべきだ。優秀社員の実績や動向に一喜一憂するのではなく、八割を占める凡人の平均値を底上げできる組織力向上を目指す。ここに営業改革の答えがある。

第4章　やる気を生む「空気」を作る

「コープさっぽろ」という企業

さて、ここで、コープさっぽろの概要について説明しておこう。

コープさっぽろは、一九六五年に札幌市内で設立、創業した。正式名称は「生活協同組合コープさっぽろ」。

生活協同組合は、登録会員の共同出資で設立・運営されている。会員の協力体制によって、質のいい安全な食材や生活用品を経済的で安定した価格で購入できるシステムだ。

二〇一四年三月期のデータでは、職員は約一三〇〇人、契約職員やパートタイマーも合わせた従業員総数は一万三〇〇〇人近くになる大企業だ。出資金は六二九億一七五五万五〇〇〇円、事業売上高は二六二七億円。これは日本全国にあるコープでは第二位になる。また、北海道内のスーパー売上ランキングでは、イオンを抑え堂々の首位に立っている。

　コープさっぽろの活動エリアは北海道全域。組合員数は現在一五〇万人を超える。これは北海道に住む家庭（約二七〇万世帯）の五五％に相当する。店舗数は四六市町で一〇九店舗。

　コープさっぽろでは、「トドック」という独自の宅配システムを行っている。トドックを利用して購入する商品は基本的にカタログから選ぶ。商品数は二〇〇〇種以上。食料品はもちろん、日用雑貨、衣類、書籍からコンサートチケットまで用意されている。

　食料品には、北海道産の魚、肉、野菜、乳製品などが目立つ。駒ケ岳山麓の開放型鶏舎で自然のエサで育てた鶏の「スズキのタマゴ」、十勝の工場で成分無調整のまま七二度で一五秒間殺菌した「ＣＯ・ＯＰ北海道十勝ＨＴＳＴ72牛乳」、東川町周辺で生産者を厳選して作っているコメ「ほしのゆめ」……など、北海道在住でなくても購入したくなる魅力的な商品が揃う。

　ちなみに「トドック」には、シロクマをモチーフにしたキャラクターがいる。右耳が「Ｃ」、二つの目が「Ｏ」、左耳が「Ｐ」で「ＣＯＯＰ」をあしらい、「トドック」も配達が届くという言葉を引っかけている。

亜流事業からのスタート

コープさっぽろの宅配営業部は、二〇一四年三月期時点で、営業マンが約二〇〇名、配達担当などを含む事業本部全体の従業員総数は約一六〇〇人、事業所は北海道全域で三一センターある大所帯だ。

しかし、かつては亜流事業の一つとされていた。「改革」を始めた二〇〇八年当時、新規顧客獲得数は大停滞。なにしろ、年間五二週間のうち一度も目標値を達成したことがなかったのだ。

コンサルティングの現状分析によって情報が集まると、さらにいろいろなことがわかってきた。

宅配営業部には、昔はどこかの店舗の店長を務めていたというような、実績のある職員が多かった。しかし、年齢を重ねたり、あるいは上司との折り合いが悪かったりということで異動になった人が少なくなかった。

だから、部員の年齢は高い。その当時の平均年齢は五〇・一歳。割合で言うと、五一歳から五五歳が一番多く（全体の三五％）、五六歳から五九歳（三二％）がそれに次ぐ。

つまり、五〇代が七割近くを占めていたのだ。一方で、営業の経験は浅く、営業歴の平均は四・二年。さらに「一年未満」の職員が全体の三四％と一番多くの層を占めていた。社歴は長いが営業のキャリアは浅い――そんな職員が中心の、特殊な構成の組織だったのだ。

大見理事長ものちに私にこう説明した。

「宅配営業部の成り立ちが不幸だったのは否めません。一九九八年に経営が厳しくなってきたときに、店舗人員削減の一環で受け皿になった部署だから、モチベーションが上がるわけがなかった」

「心の改革」が必要だ

営業チームごとに行ったディスカッションでのやりとりは、今でも忘れられないほど印象的だった。

「このチームは、改革に対する前向きさがほとんど感じられませんね」

「改革したところで何も変わらないことを知っているからです」

「なぜそう思うのですか？」

「藤本さんは、私たちが〝二軍〟扱いされた人間だということをご存知ですか？　店舗事業にやりがいを感じていた私たちが、先の見えない宅配事業に身が入るわけがないと思いませんか？」

「そんなに宅配事業にやりがいを感じませんか？」

「宅配のどこに将来性があるのですか？」

私はデジャブを感じた。スーパーとコンビニの関係にそっくりだったのだ。

私が営業マンとして全国を飛び回っていたバブル絶頂の八〇年代後半、主要営業先はスーパーとコンビニだった。仕事柄、コンビニの方々と飲みに行く機会が多く、親会社のスーパーに対する愚痴をいろいろと聞かされたことを思い出す。

その頃は誰もが、子会社のコンビニ部門に出向させられるとモチベーションを下げた。当時は、イトーヨーカ堂とセブンイレブン、ダイエーとサンチェーン及びローソン、ジャスコ（現イオン）とミニストップ、西友とファミリーマート、ユニーとサークルＫなど、すべて親子関係にあった。

しかし、九〇年代に入ると、情勢が変わってきた。時代がコンビニを求め始めたからだ。社会での需要の高まりとともに小売グループ内でのコンビニの立場が上がり、モチベーションも上がり、スタッフも底上げされていった。「親会社を超えてやるぞ」と前向きに考える人が増えてきた。

小売業界の歴史をさらにさかのぼると、スーパーもまた、コンビニと同じ立場にいた時代がある。スーパーが誕生した頃、その売り上げが百貨店を追い抜くとは、多くの人は思っていなかった。しかし、スーパーは見る見る社会に浸透し、百貨店の業績を抜き去った。

かつての百貨店に対するスーパー、スーパーに対するコンビニに近い関係が、コープさっぽろの店舗事業と宅配事業からは感じられた。

しかも、コープさっぽろの市場たるや広大な面積を誇る北海道である。冬の気温は各地で零下となり、路面は凍結する。宅配事業が成長しないはずがない。

大見理事長との会話を思い出す。

「いまコープさっぽろでは店舗事業が主流だが、宅配の需要は年々増えている。近い将来、宅配事業がコープさっぽろを支えるもう一本の柱になると、私は確信している。だからこそ営業をテコ入れして、できるだけ早いタイミングで宅配事業の強化を図りたい」

しかし、それには初期のうちに解決しなければならないことがあった。彼らの「心の改革」だ。私はスーパーとコンビニの逆転現象を例に取り上げ、宅配事業の将来性について何度も説明した。そして、主客逆転に成功した職員たちがどれだけヒーロー扱いされるのか、ということも切々と語った。

事実、いまではコープさっぽろの社内表彰の大部分は、宅配事業本部の職員が占めている。社の利益を支える花形部門へと変遷したのだ。

ノウハウをすぐに求めない

とはいえ、最初からすべてが順風満帆だったわけではない。開始してしばらくは平均目標達成率はほぼ横ばい状態が続いた。改革開始前の一六週間は七二・三％、開始後の四週間平均が六九・二％、次の四週間平均が七〇・四％……。

はっきり言って、目標達成率が七〇％前後というのは、営業としてはかなり低いレベルと判断していい。当初の対策がまだまだ浸透していない頃でもあった。

このような現象は、営業コンサルタントとしては全くの予測の範囲内である。だからそのままプログラムを進めようとするのだが、クライアントによっては、すぐに成績に直結しないことに焦り始める。

「ひょっとしたらコンサルタントの人選を間違えてしまったのではないだろうか？」

改革に抵抗する営業幹部たちは、このような情報をトップの耳に入るように囁き始める。そして不安にかられ、弱気になったトップは、コンサルタントに次のようなリクエストをする。

「現状分析や営業量の増加が大切なこともわかるのですが、現場はもっと即効性のある対策を求めています。そろそろ具体的なノウハウやテクニックを教えるプログラムに移ってください」

ところが営業量の増加が定着する前に、ノウハウやテクニックのレクチャーに入ってしまうと、間違いなく営業量は元に戻ってしまう。コープさっぽろにはそのブレや焦りがなかった。――改革成功の四つ目の条件はこうしてクリアされたのだ。

その後、徐々に営業成績の増加が見られるセンターが増えてきた。全体の成績に変化の兆しが見えたのは九月の後半だ。九一・三％、九四・〇％と、それまで経験したことのない成績を上げた。そして、一〇月の四週目には、一〇一・六％を記録。初めて目標を達成した。

【目標達成率の推移】

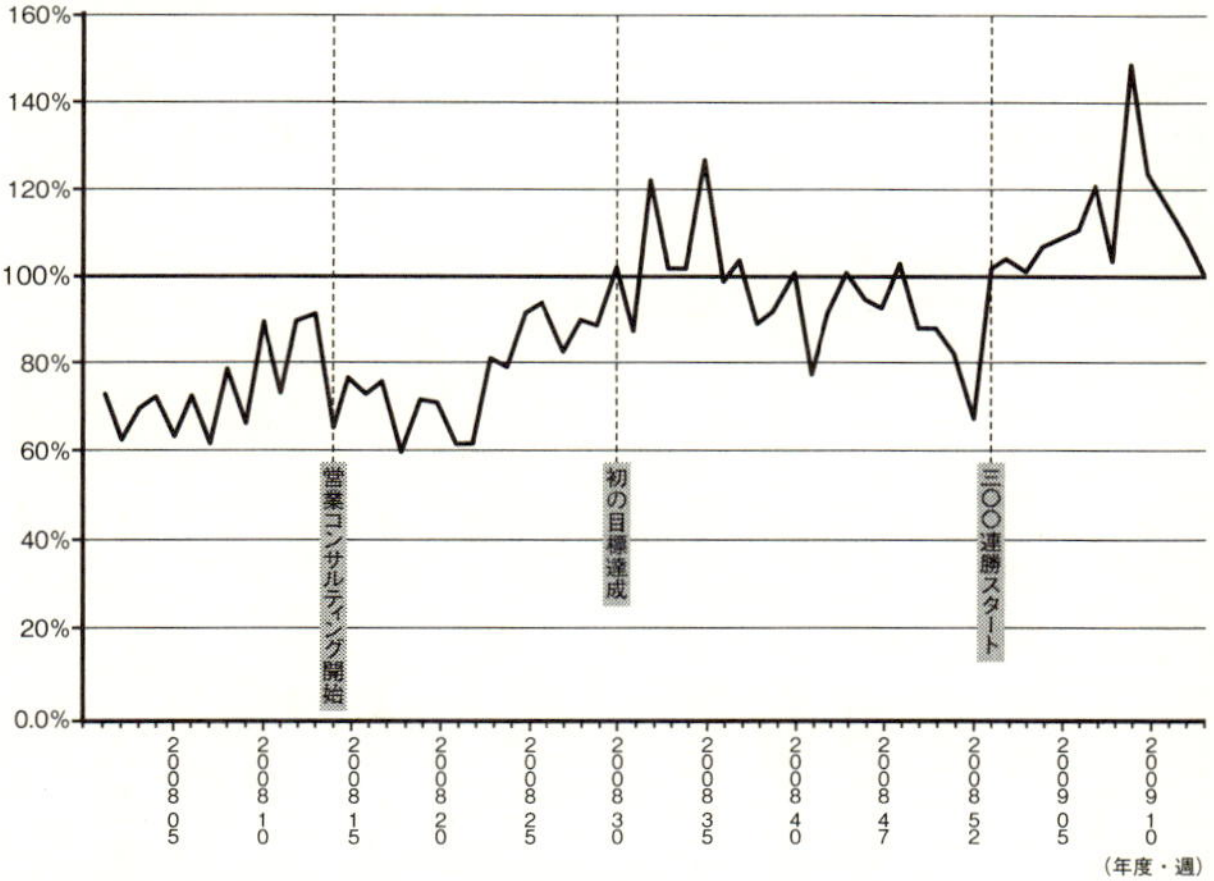

営業改革開始直後の成績は安定しないが、真の営業力がつくまで焦ってはいけない。

その翌週は八七・一％までガクンと落ちるが、すぐに一二一・七％まで上昇し、その週から四週間連続で目標値をクリアしている。この時期はまだ本当の意味で営業力がついたわけではない。だから、その後も目標を達成したり、しなかったり、宅配営業部は一喜一憂をくり返していた。

一人一人と心を合わせる

改革開始後七か月目を迎えた、二〇〇九年の年明け。宅配の事業本部長と営業部長が交代した。新しく就任したのは、序章で紹介した宮嶋本部長と行沢部長だ。

前任幹部たちが悪かったわけでは決してない。事実、改革を始めてからわずか半年で、何度も目標を達成させてきた。大抵の企業なら、その結果だけでも「良し」とするところだ。

しかし、大見理事長は、改革路線を大胆に牽引できる幹部の登用を決断した。結果論になってしまうが、その後、五年以上にわたって続く「三〇〇連勝」という記録は、トップのこの決断が呼び込んだのだと確信している。

奇跡の営業改革を支えたヒーローはたくさんいるが、新しく就任した行沢部長はそのなかでも際立った手腕をふるった。

行沢部長が就任して真っ先に実行したことは、一三〇人の営業マン全員と行った「個別面談」だ。

行沢部長によると、当時の面談の内容は散々だったという。

「こんなどん底部隊に異動させられてやってられない」

「やる気のないマネジャーの下で頑張ったって意味がない」

「将来性のない宅配ではなく、早く店舗に戻してほしい」

過半数が不満をぶちまけた。行沢部長はただただヒアリングに徹し、面談とは名ばかりだったそうだ。しかし、彼の出身地であるオホーツク海に面した北見紋別独特の人懐っこい語り口で、最後に念押しした。

「いいか、よく聞いてくれ。どんなに上司の悪口を言っても、あなたの給与は上がらないんだわ。勘違いしないでもらいたいのは、コープさっぽろのような生活協同組合も、事業として健全経営でないとダメだべや。あなたたちが努力して目標達成してくれないと、給与も保証できなくなるべや」

このようにして、行沢部長は、改革に協力するという意志を示してもらい、握手をかわせるようになるまで、何度も面談を重ね、一人につき平均二〜三時間掛けた。なかなか前向きにならない相手には、一〇回以上面談を重ね、計四〇時間にも及んだそうだ。その努力が実を結び、最終的に握手にこぎ着けた営業マンの数は九割にも上る。

それでも受け入れない場合は、「二軍行き」も命じたという。これは後から知ったのだが、コープさっぽろには「二軍制度」があるそうだ。勤務態度が著しく劣る人、あまりにも成果が上がらない人には、給与体系が悪い「二軍行き」を命じるのだという。

「この会社は本気で改革をするつもりだ」

宅配営業部の誰もが感じたはずだ。

成長を妨げる「空気」を変える

この個人面談ではさまざまな事実が判明した。

「社内で聞き取りを行ってると、とんでもないことがわかったべ。というのも、頑張る社員は孤立してしまうんだと。頑張れば頑張るほど、仲間外れにされてしまうっていうんだからさ」

頑張らない集団では、頑張る人間の存在が浮き上がる。すると孤立状態になってしまうのだ。マイナスのスパイラルが生まれていた。

「『数の調整』までやっていたんだべ」

商談がたまたま好調で、新規顧客を一日に三件獲得したら、翌日はあえて頑張らないようにする。あるいは、その三件を二日、三日に分けて、カウントするというのだ。最悪の空気である。

「頑張らない人間が頑張る人間を駆逐するなど、絶対にあってはならない。そういう悪癖を根絶するために、宮嶋本部長と話し合って、努力する社員が努力しない社員の影響を受けないチーム体制を工夫したんだべ」

行沢部長の果たした役割は大きかった。

マネジャーが、改革への強い意志を営業マン一人一人に直接伝える、そして全員で心を合わせる――改革成功の五つ目の条件をクリアしたのだ。

新体制になってから、営業マネジャーたちの「何が何でも目標を達成する」という空気を、私自身も肌で感じるようになった。トップダウンで突然営業改革を命じられ、彼らもずいぶん戸惑ったはずだが、上層部の決意をまずは信じてみようという「真っ直ぐさ」がそこにあった。

現場の人間はなかなか理解しないかもしれないが、どんな組織でも、ほとんどの幹部は部下に愛情を持っている。身内はやっぱりかわいい。

「部長、今までどおりじゃいけないんですか？　僕たちも頑張りますから、これからも同じペースでやっていきましょうよ」

などと言われると、同意したくなるのが人の情《なさ》けだ。

しかし、社員の意見の一つ一つに対応していると、組織は崩壊する。できるだけ客観的な判断を行い、あるいは客観できる外部の立場の人間を活用して、思い切った改革ができるか――。幹部としての力量が問われる局面である。

コンサルタントの意見をすべて信じろ、と言いたいわけではない。しかし改革を断行し、組織を存続させ、利益を上げるには、中途半端なジャッジや行動をしないように自らを律するべきだと思う。

第5章　現状の問題点をあぶり出す

理論よりも「現状分析」を

コープさっぽろで始めた「営業改革プログラム」の中では座学も行う。ただノウハウをレクチャーするだけではなく、重視したのは「現状分析」だ。先に述べた営業チームごとに行ったディスカッションも、この現状分析の一環にあたる。

一般的にコンサルタントは、完成された理論に当てはめて指導したがるが、営業分野のコンサルティングに関しては、それは危険だ。もちろん、営業量を増やし、営業能力を伸ばせば業績は良くなる、という基本が変わることはない。しかし、どのように量を増やすのか、どのように能力を向上させるのか、という具体的な施策は、拙速に決めるべきではない。

現状分析においては、営業分析データにより長所、弱点を洗い出し、強化ポイントを設定するのはもちろんのこと、営業マンや営業マネジャー、また、営業と接点のある部署や関係者との直接の会話も必要だ。

営業改革を依頼してくる企業の中には、業績に困っていることが多いので、すぐにでも特効薬を処方してもらえるのでは、と期待する企業も多いのだが、くれぐれも焦りは禁物だ。きっちりと現状分析を行うことが、営業改革を成功させるための第一歩だ。

現状分析なく取り組むことができるのは、「営業量二倍化」の対策だけだ。どのように動いたら最も効果的なのかということは、各々の現状分析を待たなければならないが、ひとまず動くことは準備運動の役割を担うことになる。またそれだけで、取り敢えず成績がアップする企業は多かった。

「営業ノウハウ」を共有化せよ

改革の第一段階が「営業量の改革」なら、第二段階は「営業能力の改革」だ。

私は第一段階の間に、現状分析を通じて具体的な施策を講じていったが、その一つが「営業バイブル」の作成だった。

コープさっぽろ宅配営業部には、致命的な問題があった。「営業ノウハウの共有化」

が全くできていなかったことだ。

「広い北海道では地域によって営業スタイルが違う。だから、共有化は必要ないし、意味もない」――そう考えていたのだ。

この問題は早急に解決しなくてはいけなかった。せっかく大勢の営業マンが膨大な時間をかけて営業を行っているのに、その経験が他の営業マンの役に立っていない。また、個々の営業マンにどうやって営業するかが委ねられているため、問題のある手法も指摘されないままずっと続けられることが多かった。

そこで、北海道全域に点在している営業ノウハウの共有化を急いでもらうことにした。

仮に旭川エリアで、抜群の成果を上げている営業マンがいたとしよう。ならば、その営業マンはなぜ成績がいいのか。どんな営業を行っているのか。ヒアリングによって吸い上げ、札幌や、函館や、帯広、釧路など北海道全域で「ノウハウ」として共有するのだ。

これが点在する営業ノウハウの共有化だ。凡人で最強部隊を作るためにはとても重要な作業だ。

そもそも営業というセクションは、その職種の性格上、「優秀な人の真似をする」という文化を持ちづらい。営業はチームで動くことが少なく、「行ってきます！」と一歩会社を出たら、一日中、一人で活動することがほとんどだからだ。

新卒で入社した営業マンは、最初こそ先輩に同行させてもらう時期もあるだろうが、さほど長い期間ではないはずだ。また、営業のイロハもわからないうちに、先輩の営業ノウハウをきちんと吸収することは難しいだろう。

かといって、常に複数の人間で営業を行うのは効率が悪くて現実的ではない。二人でバラバラに動けば一日一〇〇件ずつ、合わせて二〇〇件回れたところが、一緒に回れば二人で一〇〇件に半減してしまう。この非効率性を回避するため、営業マンは早い時期に独り立ちすることになり、真似をする文化が育たないのだ。

コープさっぽろも例外ではなかった。いわゆる「個人プレイヤー」の集まりだった。「個人プレイヤー」といっても、その個人技も、決して高いレベルではない。もちろん中には成績優秀な営業マンもいたが、彼らが一体どんな努力をしているのか、どんな創意工夫をしているのか、他の営業マンは知らない。ノウハウは北海道全域に点在していて、それを共有化しようという意識も乏しかった。

二〇一〇年三月、「営業バイブル」というかたちでノウハウの共有化が完成した。

コープさっぽろは、営業ノウハウの共有化に積極的に取り組んだのだ——これによって、六つ目の改革成功の条件がクリアできた。

マネジャーの目標件数を下げる

現状分析によって、営業マンの成績に格差がありすぎるという問題も見えてきた。単なるサボりで成績が悪かった人は、営業量の増加だけで成績が良くなるものだが、能力がかなり不足している人の場合は、それだけでは追い付かない。営業マネジャーなどによる「教育」が必要になってくる。

しかし、コープさっぽろのマネジャーは、部下の営業マンと同じように目標値を設定していた。つまり、プレイングマネジャーだったのだ。しかし、それでは、自分の目標を追いかけるだけが精一杯で、とても部下の面倒を見ることはできない。

そこで、とった作戦が、「営業マネジャーの目標件数を下げる」という策だ。この提案には、大半の企業は腰が引ける。プレイヤーでもあるマネジャーの目標値を減らせば全体の成績も下がってしまうのではないか——そんな不安を持つからだ。

しかし、コープさっぽろは、この大胆な逆張り策を採用し、営業マネジャーの目標件数を下げた。その結果、マネジャーの時間に余裕ができ、その分部下をケアすることができるようになった。そして最終的に、全体の成績アップに結びつくこととなった。

（なお、コープさっぽろの場合は、複数の営業チームをまとめるグループマネジャーが別に配置されていたので、このような策をとったが、通常の営業マネジャーは個人目標を廃止してマネジャー業に専任すべきだということを言い添えておく）

上司は毎日「ヒアリング」を行え

余裕の生まれたマネジャーは、具体的に部下をどのように教育するべきか。これは、営業改革において重要なウェイトを占める。

その一つが、「日次ヒアリング」だ。

営業マンの集団に会議が不要であることは第2章で述べた。だからといって、営業部内、エリアチーム内でのコミュニケーションが不要なわけではない。全員が一堂に会するような会議はやらなくてもいいが、マネジャーが現場の営業マンと一対一で行うヒアリングは必須だ。

マネジャーは現場の営業マンがどのような営業活動を行っているか、どのような問題が起きているのかなどを詳細に聞き取る。その現場の情報を、さらに本部がヒアリングして吸い取る。その一方で、現場に有益な情報は、本部からマネジャー、マネジャーから現場の営業マンへと伝えるのだ。この積み重ねが営業ノウハウの共有化を支えているのは、言うまでもない。

理想的なヒアリングとはどのようなものだろう。

まず基本的には毎日行ってもらいたい。そして、マネジャーが一人一人の営業マンに「マンツーマン」で話を聞いてもらいたい。部下の人数にもよるが、一五分から二〇分ほど時間が割ければ理想的だ。

私は、このマネジメント手法を重要視しており、「日次ヒアリング」と名付けている。具体的に尋ねる内容は次のとおりだ。

① その日の営業量とその内訳（アポ商談、飛び込み、電話等）を確認する

② ①の中で「見込案件」（成約の見込みがある案件）として浮上したものをピックアップする

③ ②の見込案件について、その営業先とのやりとりを〝忠実に〟再現させる

④「次の一手」をいつどのように打つのかをチェックする
⑤④に対して、マネジャーとしてのアドバイスをする
⑥⑤のアドバイスを実践する能力が不足している場合、トレーニングを行う
⑦その他、時間の使い方など気がついた点を指摘する

「それなら営業日報をつければいいじゃないか」「わざわざ顔を合わせて報告しなくても」——こんな声が聞こえてきそうである。

しかし、前述したとおり、営業日報は〝嘘〟（正確には、結果的な嘘。つまり、現場の事実を再現できない）が実に多く、また、悪い情報は書かれないことが多い。一方、面と向かって話せば、ニュアンスや話し方から事実に近づくことができる。事実が曖昧な場合は、相手とのやりとりをセリフのままに再現させたり、質問をしたりすることで、部下が隠している不都合な情報もあぶり出すことができる。

また、毎日向き合って話し合うことで、チーム内や上下の連帯感や信頼感も増し、リアルタイムで情報を共有しアドバイスできる。営業は日々動きがあるのだから、これはとても重要なことだ。しかも、営業マンは自分が上司に意識され、期待されていること

を日々認識して、やる気が増すという付帯効果もある。これを教育心理学では「ピグマリオン効果」という。

そして何と言っても、営業日報を鉛筆舐め舐め書き込むより時間を節約でき、日報というデスクワークで「仕事をしたつもり」という勘違いも排除できる。

ときどき、「営業マネジャーが忙しくなるのでは？」という指摘を受けることがあるのだが、それこそピントがはずれていると言わざるを得ない。なぜなら、この日次ヒアリングこそが営業マネジャーの本筋の仕事だからだ。そこにどれだけ時間を費やしてもかまわない。

こうした日次ヒアリングの徹底によって、成約の見込みがあるにもかかわらずその後放置してしまい取りこぼしそうになっている案件や、同業他社に奪われそうになっている案件をケアできるようになる。これは、どのような業種業態、どのような営業スタイルの企業でも共通して言えることだ。

契約を取りこぼす原因とは

ここで、「取りこぼし」の原因を整理しておこう。

①アタックしないままの営業先を数多く残す

そもそも任されたアタック先リスト、担当業界、担当代理店、担当エリアなどに対して、漏れなくアタックをしていない。営業量を軽視する企業にありがちな現象で、これは、単なる怠慢と言える。

(例)・一度も電話しない、訪問しない　・不在の場合はすぐにあきらめる　・苦手そうな相手を最初から避ける　・門前払いや冷たい対応をされると二度とアタックしない　・大通りに位置する企業にだけ飛び込み、裏通りまでは足を運ばない……など

②すぐ可能性をつぶす

相手と商談を継続させようという努力をせず、相手からわかりやすいシグナルが出ない限り、すぐにあきらめてしまう。見切りが早い。

(例)・相手が消極的だとすぐに「じゃあ結構です」とあきらめる　・相手の意向をヒアリングせず一方的に喋る　・初対面で嫌悪感を持たれてしまうのに印象を改善する努力をしない……など

③再訪問、継続訪問をしない

日々発生する目の前の案件を追いかけているうちに、いままで累積している見込案件の接触を怠り、いつの間にかその存在すら忘れてしまう。

（例）・どんな会話をしたのか忘れてしまい再訪問できない　・相手の状況（不在だった、検討中と言われたなど）をメモしておかなかったため再訪問を忘れる　・話題が少なく会話が展開しなかったので放置する　・相性が合わなかったので放置する……など

④商談ポイントを整理、把握できない

「ニーズ」（契約意欲を強めるポイント）と「ネック」（契約意欲を弱めるポイント）を明確化できず、営業側のペースで商談が進まない。商談が長引き、「クロージング」（契約締結の最終段階）になかなか持ち込めない営業マンに多い。

（例）・ヒアリング不足でニーズを満足に引き出せない　・ネックを聞き出す勇気がない（意外に多い）　・商品知識が足りなくて商談が進まない　・加入してもらった顧

客の動機、拒否された顧客の動機を体系的に覚えていないので営業現場で勘が働かない……など

営業能力の違いで、営業成績に差が出るのは当然のことなのだが、なぜ差が出てしまうのかというメカニズムについては、あまり知られていない。

これは、「営業学」という学問がない弊害なのかもしれない。いままで体系的に営業を学ぼうとせず、ノウハウやテクニックといった表面的なことばかりに関心があったためであろう。営業関係者は、明日の理論よりも今日の対処法を好むのだ。

しかし、営業コンサルティングに長年携わり、明確になったことは、ここで紹介した取りこぼしこそ、最も「営業格差」が生じる原因だということだ。

コープさっぽろも例外ではなく、取りこぼしが多かった。①、②、③、④とも万遍なく発生していたのだが、その中でも②の「すぐ可能性をつぶす」は激しかった。日々五〇件、一〇〇件とアタックする中で、即断即決を求めようとする。一度、二度のアタックでクロージングに追い込もうとする。だからニーズやネックも整理できず、商談が煮詰まらないうちに結論を求めることになる。契約確率はどうしても低くなってしまうの

だ。

営業先をレベル別に分類する

そこで取り入れた策が、営業した先をレベル別に分類するというものだ。すぐにクロージングをかける案件なのか、じっくり商談を煮詰める案件なのかを分けて扱うようにした。私はこれを「見込案件格付け」と呼んでいる。

レベルⅠ……受注案件（即断即決を含む）
レベルⅡ……受注見込　八〇％　↓　高いハードルはなく契約の可能性が高い
レベルⅢ……受注見込　五〇％　↓　今後の商談次第で契約可能
レベルⅣ……受注見込　二〇％　↓　乗り越えるべきハードルは多いが継続商談すべき
レベルⅤ……受注見込　〇％　↓　ひとまず営業する必要なし

分類根拠は、次頁の表のとおり、ニーズとネックのバランスだ。受注が決まるかどうかは、相手のニーズとネックのバランスで決まるからだ。これは、コープさっぽろのよ

【営業先の「見込案件格付け」】

	ニーズ	ネック	状況
レベルⅠ	◎	×	受注
レベルⅡ	○	△	見込 80%
レベルⅢ	△	△	見込 50%
レベルⅣ	△	○	見込 20%
レベルⅤ	×	◎	見込　0%

ニーズとネックを整理して受注見込の確率を出し、それによって営業先の格付けを行う。

うな個人宅営業だけではなく、法人営業でも当てはまる。

ニーズが強くあり、ネックが全くなければ受注あるのみ。逆に、ニーズが全くなく、ネックだらけであれば、受注しようがない。

問題は、レベルⅡ、Ⅲ、Ⅳだ。ニーズとネックの微妙なバランスで受注確率が変わってくる。コープさっぽろのような個人宅営業を例に挙げよう。ある家庭に飛び込み営業で商談した。対応した妻は多くのニーズを感じ、契約に前向きになった。「では契約書を」と書類を取り出したところ、「大丈夫だとは思いますが、一応主人に確認してからにしますわ」と言われ、受注が次回訪問に延びてしまった。こういうことはよくある。この案件を整理すると、ニーズはあるし、夫も反対する理由はなさそうだ、ただ正式な回答が出るまでは「ご主人待ち」というネックが残る。だから「レベルⅡ」となる。

このようにニーズが多くネックが少ないレベルⅡの場合は、「営業格差」は生じにくい。能力が低くても受注が決まる確率は高いからだ。

営業格差が生じやすいのは、レベルⅢとレベルⅣだ。ニーズとネックが拮抗していたり、ネックのほうが上回っているので、そのネックの解決が必須だ。つまり、商談能力の差が、結果を左右するということになる。

法人営業で、それまで商談が順調だったのに、あと少しで受注という段階で突然進まなくなったとしよう。できない営業マンは、何とか最後までもっていこうと必死になり、一方的な説得を繰り返してしまい、たいていは商談が流れてしまう。

しかし、できる営業マンは、「突然進まなくなった理由は何でしょうか？」と相手にずばり確認する。相手のネックをきちんと把握するのだ。できない営業マンは、怖くてこれができない。その差は大きい。

強力なライバル会社と契約を結ぼうとしていることがわかったら、レベルⅣとして対応せざるを得ない。それほど強力でなければレベルⅢだ。どちらにしても、ライバル会社にはない自分たちの優位な部分を、時間をかけて丁寧にプレゼンしながら、ライバル会社に傾いた気持ちをこちらに戻さなければならない。

レベルに応じて優先順位をつけることも重要だ。レベルⅡ、Ⅲ、Ⅳの順に時間を割きながら、それぞれのネックを取り除く解決策を冷静に提示する。これが営業の基本だ。

第6章　成功率を高める工夫をする

「ミアポ一〇〇ローラー」への発展

改革開始直後、営業量を上げるため「一日一〇〇件」の作戦を行ってきたことはこれまで述べてきたとおりだ。「改革第二期」では、これを現状分析に合わせて修正した。

「一日一〇〇件」のときは、とにかく一〇〇の世帯に営業すればよかった。だから中には、「とにかく一〇〇軒訪問すればいい」と考え、やみくもに訪問し、数を稼いでいた人もいた。インターフォンを次々と押し、ほんの数秒待って応答がなければすぐに立ち去る。それでも一件の営業だ。

これも無意味ではない。最初は数合わせであっても、一〇〇件を追いかけることが重要だ。ほんの数か月前は、一日に四〇件しか営業をしていなかった平均五〇歳のオジサン営業部隊が、倍以上の世帯を訪ねるのは時間的にも肉体的にも負担は大きい。まずはカタチだけでも一〇〇ローラー行うことを優先した。

数を増やせば、その分結果も違ってくる。改革を始めて半年ぐらい経った頃だろうか、営業成績と訪問件数の相関関係を調べたことがあった。結果は、あまりにもわかりやすいものだった。成績が上位二割の営業マンと残り八割の営業マンは、成績の差は一・七倍、そして訪問件数は一・九倍の差があったのだ。

成績優秀者はそもそもベースの訪問数が多いのだ。その意味で「一〇〇件」というノルマ設定は営業マンたちが営業数の大切さに気づいてくれるだけでも大いに意義があったと言える。

しかし、営業量の重要性が浸透してきたら、次の段階へ移行していく必要がある。単に一〇〇件回るだけではダメだということを理解するためだ。

そこで考えたのが、「三アポ一〇〇ローラー」である。やみくもに一〇〇件回るのではなく、三件のアポを確保してからの訪問とする。要は、「一アポ約三〇ローラー×三回」という発想の転換だ。

当時、一週間（平日五日間）の成約件数目標は、平均にして六件だった。これを実現するプロセスとして、一週間に約一五件、一日あたり約三件の見込案件をこなせば獲得

【「1アポ30ローラー×3回」】

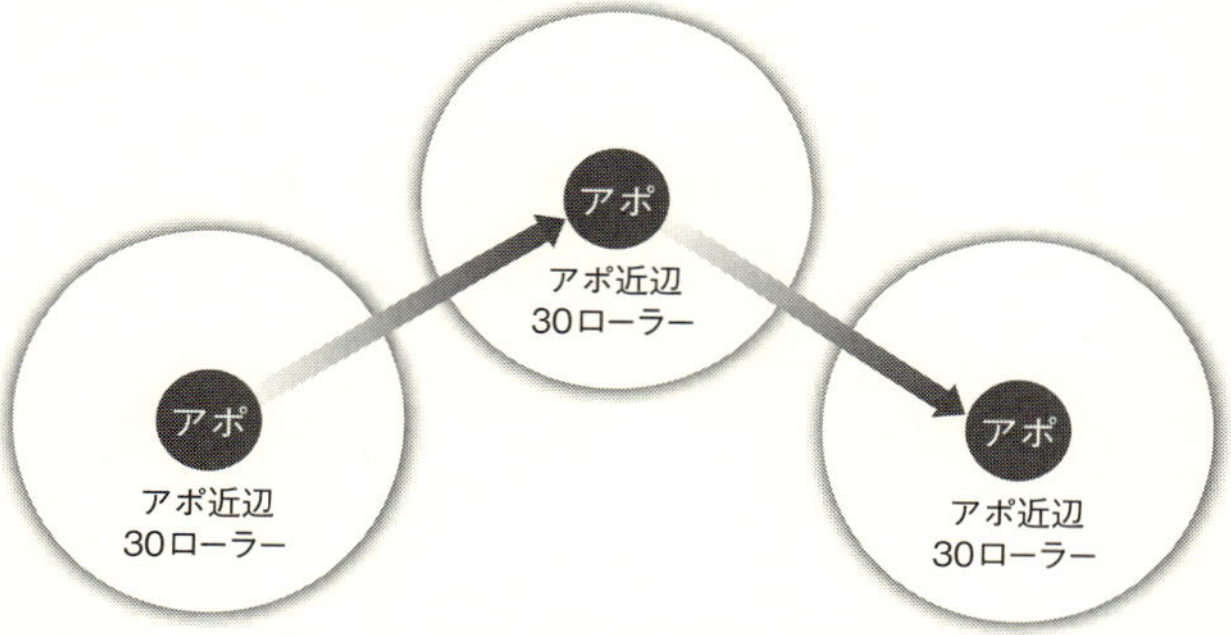

見込案件のアポ1件につき、その近辺で30件の飛び込み営業を行い、それを3セットこなす。

できるということはデータで出ていたのだ。

見込案件一件の商談をしたら、そのアポ先の近辺で三〇件の飛び込み営業をする。それが終了したら、次の見込案件商談を行い、また近辺三〇件を回る。三件のアポもできる限り近いエリアになるようにし、それぞれを午前一件、午後一件、夕方一件などと時間帯も分散させる。もちろん、このようにきっちり回ることができない日があっても、平均的にこなせれば構わないことにした。

いま思うと、誰でも考えられそうな平凡な工夫だが、この営業戦術が見事にあたった。

宅配営業を率いていた行沢部長は、当時を次のように振り返る。

「それまでは、一〇〇件回ることが大切だということはわかってたんだけども、一〇〇件さえ回ればいいと考えてた人間も結構いた。でも、一日三アポ以上と条件を設けることで、目標を達成するペースがつかめるようになったんだわ」

営業は、理論で捉えることは大切だが、感覚に訴えることも大切だ。

勝機のあるアポは週の前半に

「三アポ一〇〇ローラー」の方針については、その成功率を高めるために、さらにさまざまな行動計画が加えられた。

たとえばレベルⅡのアポ、つまり見込みが高く勝機のあるアポを、週の前半に集中させるという工夫だ。そのためには、前週の木曜日までには、アポのスケジュールを完成させなければならない。

それによって心の余裕も生まれた。余裕ができると計画もきちんと立てられるようになり、個々の案件にあわせて準備もできる。ニーズとネックを明確にしながらシミュレーションを行い、あらゆるシチュエーションを想定しておくのだ。

行沢部長もこう振り返る。

「お勧めの商品は、事前にカタログから複数選んでおくようにしておく。なかには、営業チームの同僚をお客さん役に見立てて、トークのリハーサルをしていた営業マンもいたんでないかい」

このように、コープさっぽろの営業成績が連勝街道を進むプロセスでは、現場での状況を吸い上げながら、新ルールを作ったり改訂したりして、営業を進化させていった。

必ず次のアポをとること

次のアポ（ネクストアポ）も必ずとってほしい。

ものやサービスがあふれる時代になってから久しい。昔のように即断即決してくれるケースはほとんどなくなってきた。

「今、ちょっと忙しいので」

「出かけるところなので」

「検討しておくので、来月あたりまた来ていただけますか?」

だいたいはこうやって断られてしまう。

しかし、ここで「はい、わかりました」「では、またお電話さしあげます」などとお行儀よく帰ってきてはいけない。〝次〟を繋ぎとめなかったら、いつ商談できるかわからなくなるからである。だから、目の前に相手がいる状態で、必ず次のアポをとるのだ。

「今日は忙しいので、すみませんが、このあたりで」

そう言われたら、すぐに手帳を開き、こう反応する。

「では、今度は○○日あたりのご都合はいかがでしょう?」

私の経験では、目の前でこう確認すれば、二分の一以上の確率でスケジュールをくれる。

また、目の前でアポをとろうとして、どうしても拒否されるのであれば、それも一つのメッセージだ。契約を妨げる厳しいネックがあると判断すべきだ。もちろん落胆する必要などまったくない。相手に強いネックがあることがわかれば、その相手のレベルをⅣグループに分類し、時間をかけてネックを探り、そのネックの解決策を十分に立ててから臨めばいい。

商談メモは営業のダイヤモンド

日次ヒアリングをうまく活用し、営業マネジャーから的確なアドバイスをもらうためには、現場の情報を的確に説明し再現しなければならない。しかし、これがなかなかできない営業マンが多い。記憶力のいい人はあまりいないからだ。

日次ヒアリングで怖いのは、間違った情報を営業マネジャーに伝えてしまうことだ。どれだけ優秀な営業マネジャーでも、間違った情報に基づいたアドバイスは、間違ったものになる可能性が高い。

そのような事態を極力防ぐ策として取り入れたのが「商談メモ」だ。

個人宅営業は、玄関先の立ち話が多いから、ついついメモを取り損なう。しかし、お客様の言葉のどこに受注シグナルがあるかわからない。話しているときには気づかなくても、会社に戻ってから気づくこともある。そのときは覚えているつもりでも、書き残さなければほとんど忘れる。あるいは他の商談との区別がつかなくなる。決して自分の記憶に頼ろうとしてはいけない。

だから、営業日時（曜日含む）、観察できたこと、ニーズになりそうなもの、交した会話、断られた理由など、覚えている限りのことをメモしておく。

もし相手が不在でも、不在の「日時」は貴重な情報だ。人には生活サイクルがある。この記録が積み重なると、いつが不在なのか、その相手の生活サイクルが予測できるようになり、効率よい営業を行うことができる。

営業に限らず、どんな仕事でも、できる人はメモの重要性をよく理解している。

阪神タイガース、広島東洋カープ、日本ハムファイターズなどで活躍した江夏豊投手は、登板するごとに対戦相手について詳細にメモをとったことで知られていた。抑えた球種やコース、打たれた球種やコースを打者ごとにデータとして残しておくのだ。それが、次の対戦で自分に有利に働く。江夏投手は天才投手と言われ、まめな性格らしからぬいかつい風貌でもあった。しかし、地道な努力が一流の成績を支えていたのだ。

江夏投手だけではない。プロで一流になる選手のほとんどがメモをつけている。その習慣に生活や人生がかかっているからだ。

最近では、二〇一〇年に米メジャーリーグのコロラド・ロッキーズから阪神タイガースに移籍した外野手、マット・マートンのメモが話題になった。慣れない日本の野球の初対戦する投手たちの球種やくせなどをベンチでノートに書く様子がよくテレビに映し出された。対戦相手の投手だけではなく、審判別のストライクゾーンのくせなどもメモしているという。マートン外野手はその来日の年に二一四安打を放ち、日本プロ野球最多安打記録を樹立した。

メモはできるだけ正確に、詳細を記録する。成功例も失敗例も記録する。失敗例の記録は自分の心の傷をえぐる作業になるのでつらいが、怠ってはいけない。

実際のところ、個人宅営業に限らず、法人営業のような着座スタイルが多い営業でも意外にメモ率は低い。

もちろん、これまで記録をとる習慣のない営業マンにとって、メモをとること自体ハードルが高いだろう。それまでの仕事習慣を変えることだから、精神的に負荷がかかることもある。しかし、長期的な視点で見れば、そのメモこそが自分を助け、楽にしてくれるのだと伝えたい。

また、メモは自分で保管できるようにしておく。営業日報のように提出したら振り返ることのない書類はメモとは言わない。

マネジャーの「同行営業」の効用

営業マネジャーには、「日次ヒアリング」だけでなく、ぜひ「同行営業」を行ってほしい。部下の営業マンと一緒に営業に回るのだ。

これにより、まずクロージングの取りこぼしを防ぐことができる。先に述べたとおり、クロージングとは契約をしてもらう最終段階のことだが、契約できるか微妙な案件でのクロージングは、経験の浅い営業マン一人よりもマネジャーが同行したほうが確実性が増す。

そこで、コープさっぽろでも、レベルⅢ・レベルⅣの相手に対してマネジャーを同行させることにした。レベルⅡは営業マン一人でも契約を獲得できるはずだし、反対にレベルⅤの場合はわざわざ二人がかりで行ってもあまり成果はないだろう。

マネジャーは、同行することで結果に責任を持たざるを得なくなる。部下一人の失敗であれば、「どうしても彼の能力が足らなくて」「自分はちゃんと監督指導しているのですが」などと言い訳が立つが、同行営業をスタートしたら、そういうわけにはいかない。直接自分の責任になるのだ。

このようにチームの営業目標の責任をマネジャーが負う体制を明確にすることが重要だ。そのためにも「プレイングマネジャー制度」は廃止することが望ましい。

営業マネジャー個人の件数は減ってしまうが、同行することによって、チーム全体の契約数が増えることに着目してほしい。部下がスキルアップして成績を伸ばし、チーム全体の数字が上がれば、マネジャーも当然評価されるというわけだ。

また、「同行営業」は、マネジャーのノウハウを部下に伝える狙いもある。営業マンとマネジャーで訪問した場合、基本的にはマネジャーに商談を進めてもらう。部下の営業マンは基本的に喋らず、横でよく観察してもらう。

立場上、マネジャーは気が抜けない。ダメなところを見られたら部下になめられてしまう。一人のときよりもパフォーマンスにより力をいれるようになる。一方の部下にとっては、まだ経験の浅いうちから現場に一人で放り出され、先輩の技術やノウハウを盗むことも、目にする機会もなかったことが、解消される。会社にとっても両者に緊張感が出て一石二鳥だ。

この同行営業によって、コープさっぽろにおいても両者のレベルが相乗的に上がっていった。上司のノウハウが部下へと共有化され、個々がスキルアップし、全体の成績アップにも大きく貢献することとなったのだ。

真似することで「基本」が身につく

「仕事は真似から始まる」というのは、どんな職業でも職種でも共通するセオリーだ。

まず、他人を真似て「基本」を身につける（①）。その基本ができて初めて、個々のケースに対する「応用」を加えたり（②）、斬新な発想や自らのイメージで営業を展開したりすることができる（③）。

室町時代初期の猿楽師で観世流能を大成し、著書『風姿花伝』で知られる世阿弥は、成長のステップを「守破離」と表現したという（諸説あり）。基本を身につけるのが「守」、応用が「破」、新たな創造が「離」である。この「守破離」を順番に忠実に行うことで、人は成長するという論旨だ。営業のステップに当てはめれば、①が「守」、②が「破」、③が「離」にあたる。

「守」なくして成長なし、というのは誰にでもわかる理屈だろう。ところが、人はちょっと油断すると過信する生きものだ。とかく基本をおろそかにして「応用」や「創造」をしたがる。この点は気をつけてほしいところだ。

私もUSENの営業時代は、「なんで、こんな無駄なことをしなくちゃいけないんだ」と感じたことは数えきれないほどあった。それでも、「きっと自分が経験不足だから理解できないんだ。やってみれば、新しい何かが見えるはず」と自分に言い聞かせ、理解できないことでもまずやってみようと心がけた。

実際には役立つこともそうでないこともあった。しかし、役に立たないことでも、実際にやってみたからこそ、役に立たない理由を知り得た。無駄ではなかったのだ。

第7章　刺激を与えて力を伸ばす

「トレーナー制」の発足

「トレーナー制」の発足も、〝改革〟には大きな力を及ぼした。

営業部員たちは常に目標達成が狙えるレベルまで実力がついてきた。宅配事業の業績も好調になり、人員増も計画されることになった。しかし、新入りの教育がうまくいかず、チームごとでレベルがバラバラになってしまうと、目標達成が不安定になる恐れがある。営業マンの教育体制の確立は喫緊の課題だった。

コープさっぽろは、決断すると本当に早い。あっという間に、トレーナーを選定し、第二期の開始に間に合わせてしまった。

二〇一三年四月、宮嶋宅配事業本部長の後を継いだ八木沼隆本部長は、当時のことを振り返ってしみじみと言う。

「当時、私は宅配事業本部の中の商品企画部長で、横目で営業の大活躍を見ていました。トレーナーが一か月かけて行う新人教育の確かさ、早さに、他地域の生協の人たちがみな驚いていたことをよく覚えています。他の生協も、教育には困っていたようです」

読者のみなさんからすると、「トレーナーを決めればいいことなんだから、簡単に実行できることではないのか」と思われるかもしれない。しかしいざ当事者になると、この決断を下せない企業だらけだ。私もこれまで他のクライアントに対しても、トレーナー制の必要性を提言してきたが、過半数が決断できなかった。

トレーナーには優秀な人材が必要だ。仕事ができ、教えることがうまく、人柄も良い人間でないと務まらない。しかしそういう優秀な人間を現場から引き抜くと、その分の成績が確実に下がる。企業はそのリスクが取れないのだ。

「キャラバン営業部隊」で拡《ひろ》げる

第二期に入り、「連勝街道」を走りだした頃には、ユニークなアイデアによる対策をいろいろと実行した。その一つが、「キャラバン営業部隊」だ。

北海道は広い。その広い大地に、宅配事業本部は三〇か所（当時）の拠点を持つ。すると、どうしても成長のスピードには差が生まれてくる。本部の意識がストレートに伝わり、みるみる数字が上がるチームもあれば、わりと遅れをとるチームもある。

そんなエリアに送り込んだのが「キャラバン営業部隊」だ。これは、本部主導で編成した五人ほどの特別営業部隊である。

キャラバン隊は、合宿状態で一つの町に一週間から一〇日ほど滞在し、契約が難航しているエリアにローラー営業をかける。

キャラバン隊はゼロから営業を行う。すでにその土地の営業マンたちが見込みが薄いと判断した世帯も先入観なくアタックする。手強い相手ばかりだ。しかし、彼らは意外なほど新規契約を獲得していく。

なぜなのか――。

①キャラバン隊は力量が全体のアベレージよりも高い営業部隊である。本部の意志を十分に理解し、技術と実績が比較的高いメンバーで構成されている。したがって、地元の営業マンが見込みが薄いと判断したお客様であっても、潜在的なニーズを見つけ出すことができ、成約可能性のレベルを引き上げることができた。逆に言えば、成績

が悪い営業マンは、契約できる可能性があるのに、相手のシグナルをキャッチできずにいたため、取りこぼしていたことが浮き彫りになったのだ。

②キャラバン隊は営業に対する集中や意欲が高い。一週間、あるいは一〇日間限定といった短期間の滞在だからである。もともとの担当チームは、たとえていえば長距離ランナーだ。その土地で何年も営業活動を行い続けている。一方、キャラバン隊は短距離ランナーだ。短期限定でダッシュするやり方だ。出張中はプライベートの付き合いもなく、ただただ営業に力を注ぎ、仕事が最優先の生活をする。

③北海道全域に三〇の営業拠点があっても、実は未開拓のエリアは結構多い。地元の営業チームがまわっているつもりでまわっていないエリアにキャラバン隊が入ることで、根こそぎ刈り取ることができる。

以上のように、彼らはその土地特有の風習に縛られず、先入観なく営業を行うことができた。そのため、キャラバン隊が訪れたエリアは一気に数字が上がった（キャラバン隊が獲得した数字は、その地域の成績にカウントする）。

難攻不落だと思われていた世帯が次々と契約を結んでくれた。相手からしても、見慣れぬ新鮮な顔が、それまでと違うアプローチで、それまでとは違う情報を持ってくるから、つい話に聞き入ってしまい、心が溶かされるのだろう。

その土地にノウハウと刺激が残る

キャラバン隊は短期の滞在なので、クロージングまではできないことも多い。彼らがやり残した最終作業は、当然その土地の営業マンたちが行い、自らの成績とすることができた。だから、その土地の営業チームも、比較的気持ちよくキャラバン隊を受け入れた。

キャラバン隊は、その土地のチームに新鮮な発想や手法も残していく。彼らが蒔いた「新しい営業の種」から、その後も継続して成果が上がる。何よりも、「刺激」を受けたチームの面々が固定観念を持たずに営業に取り組むようになる。

実は、キャラバン隊は私がかつて籍を置いていたＵＳＥＮで行っていた手法だ。当時のＵＳＥＮには全国で六〇〇ほどの営業拠点があった。そのうち成績の芳しくないところに、四〇～五〇人編成のキャラバン隊を送りこむ。すると、おもしろいくらい新規獲得ができたものだ。

ただし、キャラバン隊を行う際は、メンバーのシャッフルが必要だ。このチームは短期集中型だからこそ成果が上がる。一年中キャラバン隊をやらされたら、集中力は継続できないし、個々のプライベートに支障が生じて、心が折れるだろう。一週間遠征したら、次の週はきちんと家に帰してあげるといった配慮は行った。

このキャラバン隊の隠れた存在意義は、契約が取れない言い訳を封じ込めるところにある。大局的に見れば、やはり組織は硬直する。そこに横槍をいれる役割を果たしたのが、キャラバン隊だ。たとえ目標を達成し続けていたとしても、先を見通した刺激を与えるのだ。

しかし、営業コンサルティングを行っていると、このようなユニークなアイデアを決断できる企業もまた少ないことに気づかされる。前例のない新しいアイデアには大半が尻込みするものだ。コープさっぽろが奇跡の改革を遂げたのは、大胆な手法を臆することなく取り入れた宮嶋本部長の役割も大きい。

優秀者は大勢の前でほめよう

その宮嶋本部長は、大所高所から営業改革の軸がブレないように目を光らせながら、自らも次々と新しいアイデアを打ち出した。その一つが「表彰制度」だ。

「成績のいい社員は、大々的にほめるようにしたんです。そっと呼んでほめるようなことはしません。大勢の前で努力して成果が上がったことを讃えます。そこにいる全員が拍手をします。ほめられた本人が驚くくらい、一生忘れない思い出になるくらい、盛大に行います。人間というのはほめられると嬉しいものです。気持ちいいものです。よし、これからも頑張ろうとみな思うはずです」

これが宅配事業本部内に「プラスのスパイラル」を生んでいった。

組織というのは、たとえて言えば、オセロゲームのようなものだ。不良社員が組織の主流にいると、中間層までもがそちらに傾き、全体が黒くそまっていく。しかし、一人また一人と優良社員が増えていき、そちらが主流になると、あるときを境に一気に全体が白くなる。

全体が〝やる気色〟になると、今度は頑張らない人間のほうが目立つようになる。頑張っていないと、その組織にいづらくなる。その結果、さらに前向きな集団になっていくのだ。

その象徴が、序章で紹介した二〇〇九年六月の一三週連続の目標達成だった。宮嶋本部長ですらあきらめかけた目標到達。ところが、北海道全域で協力し合って達成してしまった。コープさっぽろ宅配事業本部は、社員全体を巻き込みながら、「常勝軍団」への道を着実に進んでいたのだ。

このようにひとたび気持ちが一つになったら、しめたものだ。さまざまな新たな手を打てるようになる。

その一例として、料理教室の開催が挙げられる。トドックの食材を使ってできる、おいしくて、栄養価が高くて、低コストの料理を実演するイベントを北海道各地の集会場を利用して始めた。料理研究家や栄養士の知恵を借り、トドックのカタログにある食材、あるいは北海道産の食材を上手に使った料理は、各地で好評だと聞く。顧客の定着にかなり役立っている。営業マンが担当地域に溶け込めるという付加価値も生んだ。

「営業チャンネル」を拡大する

改革がひとたび波に乗ると、改革が改革を呼び、既成概念にとらわれない営業が生まれる。

その象徴の一つが、幼稚園や保育所や法人への営業だ。

営業改革前のコープさっぽろ宅配営業部では、営業先は個人宅だけだった。特に決まりがあったわけではない。「宅配先＝個人宅」という思い込みに縛られていたのだ。しかし、個人宅に限定する必要はない。

家庭の財布を預かる主婦が集まっている場所はどこか――。

そこで始めたのが、幼稚園や保育所への営業だ。園長に交渉して、コープさっぽろのチラシを置かせていただいたり、子どもの送り迎えに訪れるお母さんに営業をさせてもらったりした。

個人宅への営業は、基本的に一件だ。しかし、幼稚園や保育所は、そこにいれば次々と親がやってくる。効率よく営業できる。それこそ一日に一〇〇件などすぐだ。また、女性が多い法人、たとえば縫製工場にもチラシを置かせていただいた。

他には、主婦のサークル、学校のＰＴＡの集会、若いお母さんたちが子連れで集まる公園、年金支給日の金融機関周辺、パークゴルフのコース……など、人が集まる場所ならどこでも営業の可能性がある。

こうした営業をスタートしてわかったことだが、実は幼稚園や保育所に過去にも営業をしていた人がいたという。しかし、いつの間にか行われなくなり、忘れ去られていたのだ。奇しくもそれを再度掘り起こすことになったわけだ。

「点在するノウハウの共有化」「営業バイブルの作成」という発想が、このようにお蔵入りしたアイデアの復活を手助けすることになった。コンサルティングは外部の人間ゆえに、内部の人間とは発想が大きく異なり、客観することができる。手前味噌になってしまうが、こうしたアイデアの復活も、外部のコンサルティングによって掘り起こされたと言える。

このような営業の進化のことを、私は「営業チャンネルの拡大」と呼んでいる――これが進むことが、七つ目の改革成功の条件だった。

第8章 「マニュアル」で知識を統一せよ

「営業学」なき営業マンの不幸

朝鮮の医書『東医宝鑑《とういほうかん》』を編纂した実在の人物、許浚《ホジュン》の一生を綴ったドラマ「ホジュン」のなかで、医学を指導した師匠から次のように諭されていた。

「ホジュンよ。おまえは鍼《はり》の腕前は見事なものだが、それだけでは医者として十分通用するとは言えない。医学書を通して、体系的な知識を深めることが大切だ」

このドラマのシーンを見たときに、私はいつも憂えていることを思い出した。

それは、営業分野に「営業学」という学問がないことだ。先にも触れたとおり、学問がないので、みな言うことが違うし、考え方も違う。経済学やマーケティング学のように共通した理論というものがないのだ。

まさに〝営業マンの不幸〟だ。きらりと輝く営業の腕があっても体系的な知識を勉強する学問がないので、どうしても我流で得た能力の枠を飛び越えることができない。また、真の指導者にはなれないのだ。

だからこそ、営業マン一人一人の頭の中に点在する営業ノウハウを共有化し、「社内営業学」を構築することが重要だ。それが営業マンの成長を手助けし、全体の成績を押し上げることになる。

ここからは、コープさっぽろが構築した「営業学」の中身をより具体的に紹介したい。現場の声、実際の経験を基にしたものだが、このノウハウは他の企業でも共通することが大いにあるだろう。

「マニュアル不必要病」が営業を蝕《むしば》む

組織全体の営業力が脆弱な企業に共通していることがある。個々人では優れたノウハウを沢山持っているにもかかわらず、組織としてそれらを集め、統一化、共有化しようとしてこなかった点だ。

別に内部で仲が悪いわけではなく、営業組織独特のある種の病気と言える。私は、その病気を「マニュアル不必要病」と呼んでいる。

なぜそうなるのか？　それは、「営業に共通したノウハウは存在しない」と信じている営業関係者が多いからだ。その理由の代表例は次のようなものだ。確かに一見もっともなものに感じられる。

・売る商品が違うとノウハウも違う
・その土地特有の風習があるので、エリアが違えば営業手法も違う
・営業マンの個性があるので、他人のノウハウは参考にならない
・成績優秀者は本当に有効なノウハウやテクニックを隠したがる
・他人と同じようなことをしていては、営業の競争に勝てない

結論を言うと、どれも間違っている。

「営業マニュアルはちゃんと用意しているよ」という企業でも、中身を見ると、そのほとんどがビジネスマナーぐらいなものだ。肝心要《かなめ》の成績をとるためのノウハウやテクニックを十分に記録した営業マニュアルを活用している企業は、残念ながら少ない。

自分仕様の営業ノウハウの存在

一方で、営業コンサルティングの現場において、いつも感心することがある。それは、どの会社でも成績上位者は、基本的なノウハウに独自の知恵や工夫を加えていることだ。営業活動に何を持っていくべきか、どんな態度で臨むか、どんな身なりをすべきか、……。特に、見込案件の商談を、スムーズかつスピーディに進捗させるためのノウハウのあるなしが、「成績格差」の一因と言える。

たとえば、ある法人営業の優秀な営業マンは、クライアントの組織図はもちろんのこと、関係する担当者の生年月日、出身地、趣味、家族などが克明に記されたノートを活用していた。彼によれば、こうした情報は一度に聞き出したのではなく、商談するたびにコツコツと情報を集めた努力の跡だということだった。

こんな例もある。あるリース営業の会社で、飛び抜けて優秀な営業チームがあった。調べると、自社取引先、他社取引先を問わず、リース切れの期日を記したデータベースを用意していた。リース切れの半年前になったら、自社取引先にはそのまま置き換えてもらうように営業をかけ、他社取引先にはこれを機に切り替えてもらうよう持ちかける。こうした工夫によって、確実に受注を増やしていったのだ。

コープさっぽろでは、成績優秀者の半数ほどが、「住宅地図」を独自に活用して、営業進捗を自己管理していた。住宅地図は個人宅への営業でよく用いられるが、それなりに手間がかかるため、営業マン個人が活用しているケースは少ない。

しかし、その手間さえかければ、こんな便利なものはない。どのように回るかという作戦を立て、どのように回ったか、どのような反応があったかを記録するデータベースにもなる。

その後、コープさっぽろは、多額の開発費用を投じて地図管理システムを完成させた。当初は、IT技術の活用に、平均五〇歳のオジサン営業マンたちはなかなか慣れず、私の営業コンサルティングの中でも地図システムの活用をレクチャーしたりしたのだが、いまではみな、すっかり使いこなせるようになっている。

一握りの人間が持つノウハウが全体のノウハウとして統一化、共有化された好例と言える。結局は、努力する者が報われることになるのだ。

コープさっぽろの「営業バイブル」

ノウハウの統一化にあたり、私が営業コンサルティング事業の中核に据えているのは

「営業バイブル」の作成だ。

まず、個人に点在しているノウハウをかき集める。そして、その中身を「特別な営業センスを持っていないと使えないノウハウ（＝特殊ノウハウ）」と「誰もが使えるノウハウ（＝汎用ノウハウ）」に分類する。そして、汎用ノウハウをわかりやすくマニュアル形式にまとめたものが「営業バイブル」だ。

コープさっぽろの「営業バイブル」は、五〇連勝を超えた二〇一〇年三月に完成した。北海道全域三一拠点に点在する営業ノウハウをまとめた同書は、準備編、戦術と実践編、運営編、資料編で構成されている。北海道全域の営業マンから聞き取りを行い、状況に応じたトークの実例を多数掲載しているのが特徴だ。この例文を頭に入れておくことで、あらゆる家庭や状況に対応できる。

文字が大きく、内容が簡潔でわかりやすく、五〇代の営業マンでも読みやすい作りになっている。一七〇ページの新書サイズで携帯しやすい。コープさっぽろは、二〇一一年八月に、「営業バイブル」の続編も完成させた。これは、単行本サイズ、一三〇ページだ。営業マンたちの知識欲、能力向上欲が本部を動かしたと言える。

これを、一〇週間で一〇回精読することを義務付けた。そうすれば、すべて頭の中に入ってしまうように工夫されている。つまり、一〇週間で、営業能力の基本がだいたい身に付くのだ。これは驚異的な早さと言える。

その後は、記憶劣化を防ぐために、一か月に一回精読を繰り返せばいい。その間に積み重ねた営業活動の経験が、より能力を高めてくれる。

【コープさっぽろ「営業バイブル」】

右…最初の「営業バイブル」。左が続編。

営業マンたちは営業バイブルの中身を常に頭の中に叩き込んで営業に臨む。それによって、チームや個人ごとにバラバラだった手法や意識が加速的に統一されていった。〝凡人〟営業マンの実力が底上げされ、営業力はより強力なものになった。

業績アップにともない、宅配営業部は改革当初の一三〇人から二〇〇人体制に増員した。新たに加わる営業マンは、スタート時から「営業バイブル」で学び、営業ノウハウを共有できているので、早い時期に成果が上がる体質になっている。

ここから先は、この「営業バイブル」の中身を具体的に紹介していきたい。点在するノウハウの共有化がどれほど重要かということを、読者のみなさんに実感していただけるはずだ。なお、コープさっぽろのものなので、個人宅営業の内容になっているが、そのエッセンスは、どのような営業スタイルでも通じるものとして読んでいただきたい。

まずは、営業に出る前の下準備から始めてみよう。

第９章　準備を怠る者は結果を出せない

「年齢別」の関心事を把握する

営業トークは生ものだ。ライブだ。相手の年齢、職業、地域、性別によって展開は変わる。

特に年齢は重要だ。生活習慣、食生活の内容、宅配への理解度、印象……などが大きく異なるからだ。

コープさっぽろの宅配を利用する世代構成は次のとおりだった。

二〇代　五・一％
三〇代　二〇・九％
四〇代　二四・四％

五〇代　二〇・〇％
六〇代　一三・四％
七〇代　一二・三％

三〇〜五〇代が多いものの、それでも広範囲の世代にわたっている。当然、二〇代の主婦と七〇代のお年寄りに同じ話し方をしては、心は通わせられない。

二〇代、三〇代の主婦の多くは、小さな子どもを育てている。また、共働きが主流の時代だ。つまり、いつも時間に追われている。そういう相手に長々と営業トークを展開するわけにはいかない。相手にとって役立つ情報を簡潔に伝えることが大切だ。育ちざかりの子どもを抱えている家庭では、お米も牛乳も大量に購入しなくてはならないので、その点を考えながら話す必要があるだろう。

四〇代、五〇代になると、徐々に暮らしに余裕が生まれてくる。食の質について考えるゆとりが生まれるのもこの世代だ。相手の志向や嗜好をよく聞いて、それに合う商品を丁寧に勧めるべきだろう。

六〇代以上は、健康に対する意識が高い。カロリーの低い食材、コレステロール値が低い食材など、相手の体に合う商品を紹介する。また、子どもが独立し、夫婦二人や一人暮らしとなった家庭に向いた少量の食材を勧めたい。

トークの「構文」を身に付ける

営業トークは、上位二割の成績になるまでは我流にこだわってはいけない。個性もいらない。残酷なようだが、我流トークは概して未熟で問題があり、成績が良くならない理由もそこにある。

まずは、できの良い基本トークを覚えることから取り組むべきだ。それにはトークの「構文」が役に立つ。

中学や高校の英語の教科書にあった、英語の構文を思い出してほしい。あるいは、海外旅行のガイドブックに掲載されている基本的な英会話でもいい。それらは、一つ覚えると、かなりの場面で活用できる。その文章の中の単語を一つ換えるだけで何通りの場面でも役に立つからだ。営業トークも同じだ。数パターン身に付けるだけで、その何倍ものケースで活用できるのだ。

営業マンは何種類かの典型的な顧客については基本的なスタイルを身に付けておくべ

きだろう。専業主婦に対応するパターン、一人暮らしのお年寄りに対応するパターン、幼い子どもがいるパターン、ペットがいるパターン……など、それぞれの会話は、事前にさらっておきたい。

そして、構文を覚えたら、同僚とともにリハーサルをやってみる。すると、その後のトークがどのように展開していくのか、ある程度のパターンも練習できる。それだけの準備を行えば、営業のトークは余裕を持って、心情的に自分に有利な空気の中で展開することができるはずだ。

「当たり前のこと」が意外にできない

さて、いよいよ営業現場に出るとしよう。その前に持ち物を確認しておこう。あまりにも初歩的過ぎるが、コープさっぽろでは、全員が営業するときに必ず持ち歩くように徹底した「営業一三必需品」のリストを統一している。実は、これが意外にも役立っている。

①担当エリアの住宅地図

②商品カタログ（トドックで届ける商品カタログ。週刊で制作している）
③申し込み用紙（コープ加入申込書、口座振替用紙など）
④宅配登録申請書
⑤手続き変更のための書類一式
⑥宣伝用チラシ
⑦名刺
⑧ネームプレート（胸につける）
⑨業務用携帯電話
⑩メモ帳
⑪筆記用具（複数色用意する）
⑫ハンカチ、ティッシュペーパー
⑬エチケット用品（のど飴、口臭予防グッズ、手鏡など）

これに加えて、時期によっては新商品やオススメ商品のサンプルやキャンペーングッズも持ち歩く。

すでに成果を上げている営業マンにとっては当たり前のものばかりである。しかし、その当たり前のことを行っていない営業マンは多かった。少なくとも、このように明文化しなければ、一つや二つは忘れてしまうものだ。また、明文化したルールにしなければ、「今日は忘れたけど、まあいいや」と易きに流れるのが人間というものである。実際、それまでは、ふだん自分が行っている営業のやり方が正しいのか、成果を上げている人はどんな準備をしているのか、自己チェックを行わずにまわっていたケースが多かったのだ。

改革がスタートした頃、コープさっぽろの営業マンの平均年齢は約五〇歳。そして、ほとんどが男性。いわゆる「オジサン軍団」である。それを考慮すると、⑬のエチケット関係のグッズは重要だったのだ。

私自身、当時五〇歳を目前にして自覚していたことだが、昭和三〇年代生まれともなると、いまの若者ほどおしゃれをする文化がない。男のくせにおしゃれをするなどカッコ悪いと思い込んでいる人は少なくない。年を取り、意識が薄くなっている人もいるだろう。手鏡を持ち歩くなど考えたこともない。だからこそ、会社は営業マンに、清潔さを徹底的に意識させるべきなのだ。

乾燥した冬でもガラガラ声にならず可能な限りさわやかに響かせるためののど飴、口臭予防のケア製品、髪の乱れや鼻毛をチェックする手鏡はオジサンには必須だ。トドックの内容がどんなに魅力的だったとしても、口が臭くて鼻毛が飛び出している人と会話などしたくない。特に、日中玄関のドアを開けてくれるのは女性が多いのだ。

印象で人は判断される

インターフォンが鳴り、ドアスコープのレンズやドアホンカメラをのぞくと、そこに無精ひげがぼうぼうのオジサンが立っていたら、どうだろう？　女性はもちろん、男性でもドアを開けない。ましてやそんな営業マンを通して生鮮食品は買いたくない。

そもそも、食料品や生活用品が主流であるコープさっぽろの場合、女性への営業が多い。女性は、男性と比べて身なりで人を判断する傾向がある。靴、ハンカチ、シャツの汚れなどに敏感だ。また、カタログをめくる指の爪も常に清潔を心がけるようにした。さらに、家に上がるケースもあり、靴下も清潔なものを着用するように徹底した。

そこで、次の一〇項目を定め、統一ノウハウとした。

①ネームプレートを胸のわかりやすい位置につける
②しわのない襟付きのシャツとプレスされたズボンを着用する
③一件の営業ごとにきちんと髪に櫛をいれる
④一件の営業ごとにネクタイが曲がっていないか、確認する
⑤女性スタッフはナチュラルメイク
⑥靴は毎朝磨く
⑦鼻毛、耳毛、ひげの剃り残しは必ず確認する
⑧アクセサリーはしない
⑨高額ブランドの時計はしない
⑩笑顔！

これらのうち①～⑦に気をつけるだけでも、身ぎれいな営業マンが大量に誕生した。

一方、派手なのもいけない。そういった意味で、⑧と⑨は重要だ。お客さんよりも明らかに高額の服装やアクセサリーは、絶対に好まれない。さすがにそういうケースはなかったと思うが、高級外国車で乗りつけるなどは最悪だ。

「私たちが払ったお金でこの人たちが贅沢をするんだわ」と必ず反感を買い、たとえ商品を気に入ってもらえたとしても、契約は期待できない。どの項目も営業という職種では当然のことに感じるかもしれないが、それまでは不徹底だった。気づく人は気づき、気づかない人は気づかない。すべては、個人に委ねられていたのだ。

しかし、ここで考えてほしい。

会社の看板を背負い、どの営業マンも同じ商品やサービスを売るのである。個人の考え方に委ねることは危険だ。特に、コープさっぽろは、個人宅、しかもその大半は女性相手なのだ。印象を良くするためのノウハウには特に気を配らないといけない。

ただし、こうした基本ができていなかったということは、これもまた、まだまだ伸び代があるということでもあった。私には、希望が感じられた。

コープさっぽろの営業バイブルは、このように非常に具体的だ。下準備ができたら、いよいよ営業の実践の話に移ろう。

第10章　話すよりまず観察する

玄関前の立ち位置もプロフェッショナルに

マンションの廊下、ドアの前で営業担当の宮本さんは自分の立ち位置を慎重にチェックする。ドアスコープのレンズから三〇～四〇センチ。実はここが勝負だ。営業の現場は顔を合わせることから始まる。ドアを開けてもらわないことには、会話にならないし、もちろん契約にもつながらない。

ドアにレンズがある玄関の場合は、そのレンズから三〇～四〇センチ離れた場所に立つ――じつはこれも大事なノウハウの一つだ。レンズ越しに制服と名札がはっきりと見えて、何者かがわかる。これより近すぎると、レンズをのぞいた人が顔の大きさに驚愕するし、遠すぎれば不審者のように思われる。他社の例では、ついレンズを外からのぞきこんでしまった年配男性営業マンに、内側からレンズをのぞいたその家の主婦が、

「ギャー！」と叫び声をあげたそうだ。

こうしたことは、言われてみればどれも「そんなの当たり前だろ」と感じるかもしれない。しかし、このようなノウハウですら教えられないとわからない営業マンは多いのが現実だ。

さて、話を戻そう。

その家は、昼間は主婦と幼い子どもしかいないことがわかっていた。三日前に訪れたとき、幼い子どもの泣き声が響き「今はばたばたしていてお話できません」と断られていたのだ。そのときは、あらためて訪問する旨のメモを残していた。

女性の一人暮らし、あるいは主婦と子どもしかいない家を訪れる際は、自分が怪しい者ではないことを最初にわかってもらわなくてはいけない。

「よしっ！」

自らに気合をいれる。そして、ドアに向かって深々とお辞儀をする。お辞儀は宮本さんなりの営業の儀式だ。この儀式によって、自然にお客様をうやまう気持ちが生まれ、同時に心の中の営業開始のスイッチがＯＮになる。

そして、インターフォンを押す。

「はーい！」

中から活発な女性の声が響いた。

「コープさっぽろ宅配サービスの宮本と申します！」

こちらも負けないくらい元気な声を出す。そして、相手が対応しようかどうか考える前に、すぐ用件を告げる。

「いつも大変お世話になっております。本日は食料品、日用品の宅配サービスのご案内でおじゃましました。できたてのカタログをお持ちしましたので、少々お時間をいただけないでしょうか」

背筋を伸ばし、ドアのレンズを通して室内のお客様と目を合わせるイメージで笑顔を作る。オフィスの鏡の前でマネジャーと何度も練習して手にいれた、とっておきの笑顔である。

さらにレンズに向かってコープさっぽろの職員証を見せる。ちょうどテレビドラマに登場する刑事が警察手帳を見せる、あんな感じだ。北海道では二世帯に一世帯以上がコープさっぽろの会員なので、一般的にも認知度は高い。職員証を提示するだけで、安心してもらえるのだ。

ドアが開いて、二〇代後半の女性が現れた。

「先日はごめんなさい」

「いえいえ、こちらこそお忙しいところ、大変失礼いたしました」

まずは、ドアを開けてもらうという第一関門を突破できたようだ。

「お断り」から営業は始まる

営業の現場では、いろいろな場面に遭遇する。お客様によっては、玄関付近に「セールスお断り」の張り紙が貼ってある場合もある。そのようなときの対応こそ、個人が勝手な考え方で営業すると、トラブルの原因にもなりかねないので要注意だ。また、「特定商取引に関する法律」に関する配慮も必要となる。

その家の玄関のドアの横にも、貼られた紙に太いマジックで「セールスお断り」と書かれていた。営業マンの西田さんは一瞬消極的な気持ちになった。

ここでの注意点は、「営業マンに好感を持っていないということを十分に考慮する」という点だ。失礼がないように振る舞うのはもちろんのこと、もし話ができたとしても「しつこい」営業は厳禁だ。まずは、人間関係作りに努めることが大切。そうすれば、次回訪問したときにも話だけはしてもらえる。丁寧な態度は、営業を受け入れてもらうことにもつながる。

さらに付け加えるなら、多くの営業マンは、お客様の役に立つものを提供しようとしているのだ。悪いものを騙して買わせようというのではない。自信を持って営業してよい。

この基本を反芻すると、西田さんは勇気を出して、インターフォンを押した。

「どちらさん？」

案の定、外部スピーカーから不機嫌そうな男性の声が返ってきた。声から受けた印象では六〇代後半くらいだろうか。ひるんだが、「ここで消極的になってはいけない」と自分に言い聞かせる。

「こんにちは。コープさっぽろ宅配サービスの西田と申します。本日は、トドックという週に一度商品をお届けするサービスのご案内にうかがいました」

努めて明るい声で話しかけた。

「ああ……。うちはいいよ。いらん」

「あの……、説明だけでも聞いていただけませんか」

「……」

「トドックはご存知でしたか？」

「知らん。とにかく、今は忙しい」

インターフォンを切られそうになる。まずい。ここで西田さんは、「営業バイブル」に書かれているとおり、試食品として持ち歩いている地域物産のタマゴを勧めた。

「お時間はとらせません。せめてカタログを受け取っていただけませんか。それから、ご試食用に、私どもの自慢の、絶品のタマゴをお持ちしています。お試しいただけないでしょうか」

「……」

「ぜひ！」

「……試しても買わんよ」

「はい。結構でございます。ぜひ、体験していただきたいのです。食べたらびっくりされると思います」

すると、ドアが半分だけ開いた。その隙間から、不機嫌そうな年配の男性の顔がのぞいた。

心を閉ざされても焦らずに

「コープというのは、生協だろ？　グループで配達してもらうような近所付き合いは面倒なんだよ。だから組合員にはならんよ」

「昔のイメージ」を持っているということが確認できた。しかしお客様の知識が正しいとは限らない。その場合は誤解を解く必要がある。

「いえ、今はグループを作らなくても、お一人からでも加入できるようになっております」

そのシステムを簡潔に説明した。

「ふうん。なるほどね」

表情が少し和らいだ。多少は興味を持ってくれた様子だ。

ドアの隙間からはキッチンが見えた。その片隅にコンビニの袋にまとめられたビールの空き缶があった。部屋の中から察するに一人暮らしの様子だ。

「温めるだけのおつまみも豊富に用意していますので、よかったらお試しいただけませんか？」

ちょっと勝負に出てみる。

「どれくらいなの？」

「はい？」

「だから、どのくらいまとめ買いすればいいの？」

「いえ、特に決まりはございません。少ない量でもお届けいたします」

「一パックでも？」

「はい」

「そうなの……」

「お一人暮らしですか？」

「ああ、見ての通りだ」

「お食事はどうされていますか？」

「米を炊いて、おかずはスーパーの惣菜。さもなければ、コンビニの弁当かな。ただ、あれは量が多くて、全部食べられない」

そこで、一人暮らしにとって経済的な半調理の惣菜や一人分ずつ小分けされている商品のリストを見せる。

「購入手続き、面倒だろ?」

「いえ。簡単です。ご入会のときだけ、お名前、ご住所、銀行口座番号などをご記入いただかなくてはいけませんが、その後のご注文は選んだ商品の番号をご記入するだけです」

「そうか。あんたが勧める商品がいいのはわかったよ。ただし、少し考えたい。そのカタログだけ置いていってくれ」

「はい。ありがとうございます! ぜひご検討ください!」

ここで、その日の商談を終わらせたのは正しい。少しでも興味を持ってもらったからといって、その勢いで「一挙に契約まで」という営業姿勢は感心しない。

「鉄は熱いうちに打て」という格言は、商品やサービスに自信がある会社は、参考にしてはならない。その考え方は、お客様のためではなく、自分の成績を稼ぐことだけを考えていることになるからだ。お客様のニーズがネックを越えるまで、丁寧につきあうのが営業の常道だ。営業はお客様の満足を得ることが仕事だという意識を忘れてはいけない。

後日談だが、西田さんは、この男性宅を再び訪れ、入会の契約を獲得した。

「知識」で難しい事例に挑む

このように、相手が営業に好感を持っていない例から、次の五つのことを共通のノウハウとして手にいれることができた。

①「セールスお断り」と貼るお客様の心に合わせて挨拶する
②最初に断られても、会話を続ければ交渉の可能性が開けていく
③ドアが開いたとき、視界に入る情報をすべて会話に活かす
④お客様のライフスタイルから潜在ニーズを引き出す
⑤古い情報や思い込み、誤解を解く

①については補足しておこう。「セールスお断り」と貼る人は、断るのが苦手なだけの人が多く、きちんと説明をしてみると意外にもすぐに契約してくれるケースも多い。ただし、たとえば「セールス絶対お断り！」「しつこいセールスは通報します！」のような過激な張り紙の場合は、営業は避けるべきだろう。そういう家は過去にトラブル

があった可能性が高く、本当に通報されてしまうかもしれないからだ。

付け加えて言えば、法律面もきっちりと学んでおく必要がある。「個人情報保護法」「独占禁止法」「景品表示法」はもちろんのこと、特に、「特定商取引に関する法律」、いわゆる「改正特商法」については、コンサルティングの中で講義を行い、訪問販売及び電話勧誘販売に関する法律の要点や、行政処分の事例、そして禁止事項（不退去、威迫、不実告知、断定的判断の提供、不利益事実の不告知など）の共通認識を持つようにした。

こうした知識を学ばないままだと、「どんなことがあっても成約を勝ち取ってこい！」などといった精神論だけの危ない営業に陥る可能性もある。

このように、コープさっぽろは、かつて、自分の体験だけから学ぶしかなかった環境から、組織的に幅広くノウハウを積み重ねていくことで、組織としての営業力をアップしていったのだ。

第11章　「ニーズ」と「ネック」を読め

「ニーズ」は人によって違う

さて、商談が始まれば、大切なことは、お客様のニーズを喚起することと、契約の障害になりそうなネックを摑むことだ。

「ニーズ」とは、お客様が欲する動機となるものだ。コープさっぽろのトドックに関しては、商品そのものの魅力、宅配なので重いものを運ばなくてよくなること、まとめて決済するので購入した商品が明確なこと……などだ。

「採れたての野菜やタマゴを食べられるようになって、幸せです」

「まさかトドックでコンサートチケットまで買えるとは。ずっと好きだったアイドルを観ることができました」

「カタログでよく検討するので、無駄な買い物が大幅に減りました」

「うちの前の坂は、冬は毎日凍結します。買い物に出かけなくてすむようになって、ありがたいです」

などがよく耳にする内容だ。

それではニーズをどのように突き詰めていけばいいのか。

たとえば先に紹介した、宅配営業部の宮本さんが訪問した、子どものいる家を例にとろう。女性がドアを開けると、横には三、四歳の男の子が立っていた。泣いていたのだろうか、瞼が少し腫れぼったい。

「先日はごめんなさい。あのときはうちの子がぐずって大変だったのよ」

さりげなく、部屋の中をチェックする。かなり散らかっている。小さな子どもがいる家はたいがいがそういう状況だ。

「宅配はどのくらいのペースで届けていただけるのかしら？」

「基本的には週に一度です。カタログを見てあらかじめ決まったものをご購入いただくシステムなので、選ぶ時間があります。無駄なものを買わなくなるとご好評をいただいております」

「確かに子どもを連れてスーパーやデパートへ行くと、あれ買って、これ買って、といろんなものを買わされちゃうのよねえ」

「うちの子どもが小さいときもそうでした。スーパーで、チョコレートやジュースがほしいと泣かれて、つい買ってしまいました。おもちゃも買わされたので、モノが増えて、家の中が戦場のようになっていましたよ」

「どこのうちも同じね（笑）」

「コープさっぽろには『資源回収システム』もあるんです。配達のときには、古新聞や段ボール、使用済み天ぷら油などを一緒に引き取りますよ」

結局、この家は玄関先の商談で加入の契約をもらうことができた。宮本さんの説明が、子育てに奮闘するママの心に響いたのだ。これも「ドアが開いたとき、視界に入る情報をすべて会話に活かす」ことで、ニーズを摑み取ることができたからだ。

世間話もヒントになる

宅配営業の中川さんがインターフォンを押すと、返事とともに五〇代の女性が現れた。彼女の後ろには小さな猫がついてきていた。チンチラのシルバーだ。緑色のまなざしでこちらを見上げている。

「かわいいー！」

思わず声を上げてしまった。

「あらっ、猫、お好き？」

「子どもの頃、ずっと飼っていました。こんな上品な猫ちゃんではなく、三毛でしたけれど」

はからずも営業のツカミは満点だった。ペットがいる家庭の場合、猫好きには猫の話を、犬好きには犬の話をするのが、心を通わせる最短コースだ。それに中川さんは実際に猫を飼っていたので、説得力がある。

「あらっ、今は？」

「今はいません。その猫のことが忘れられなくて……」

「わかるわー」

その後は、営業をあせらず、ひとしきり猫談義を続けた。女性のテンションはどんどん上がっていく。

「ところで、猫ちゃんのトイレの砂はどうされていますか？」

「日曜日に夫がクルマでスーパーまで買いに行っているの」

「砂は重いですよね？」

「そうなの。夫は六〇だから、もう大変みたい」

「私どものトドックでお届けさせていただけませんか？」

「あらっ、コープの宅配って、猫のトイレの砂もあるの⁉」

「はい。缶詰もドライフードも揃っています」

「私、コープって、生鮮食品や乳製品専門だと思っていたわ」

「コープの宅配サービスは、食料品から生活用品まで二〇〇〇種以上の商品を揃えています。ただそのために、すべてをコープで買わなくてはいけないと思い込んでいらっしゃる方は少なくありません。でも、選んで買う小さなものはお店で買って、猫ちゃんのご飯やトイレの砂のような定期的に必要でしかも重いものは、トドックにすれば楽だと思いますよ」

「そうよね。考えてみれば、おっしゃるとおりだわ。二者択一ではなくて、用途に応じて上手に使い分ければいいのよね」

「はい！」

この実例では、ペットを飼う家を相手にした、営業トークのノウハウをすくい取ることができる。すなわち、ペットがいる家庭ではペットの話をする、徹底的に褒める、そしてペットならではの商品をすすめる。例えばペット用品は定期的に同じものが必要で、重かったりかさばったりするので、コープの営業マンは、この商品をアピールできる「ニーズ」を感じ取ることができるのだ。

このニーズについて考えるとき、よく頭に浮かぶ言葉がある。

"You see, but you do not observe. The distinction is clear."

「君は見ている、でも観察していない。その違いは明らかだ」

これは、名探偵シャーロック・ホームズが助手のワトソンに言った言葉としてあまりにも有名だ。ホームズとワトソンは、いつも同じ現場を見ているのに、なぜホームズばかりが事件を解決するヒントを見つけ出すのか。ホームズはその差を端的に述べている。

「ネック」こそ積極的に聞く

一方、「ネック」とは、契約をためらう原因のことだ。

そこには、「絶対に契約したくない」という強いネックから、「特に必要がない」「何かひっかかるものがある」という弱いネックまである。特に多いのは、この弱いネックだ。「近所にスーパーがあるから宅配の必要がない」「コンビニがあるので、それで間に合う」というようなものだ。

実はこういう人たちは、単純なイメージで「不必要」だと決めつけていることが多い。スーパーやコンビニと宅配とは二者択一だ、どちらかしか使えないんだ――そう思っている人が多いのだ。

しかし、現実的には、スーパーやコンビニも利用し、宅配も利用すればいい。米、牛乳、ペットのエサ、園芸用の土や肥料など、定期的に必要で、重くて、切らせると困るものだけを宅配サービスで取り寄せればいい。

このような、「よく聞くネック」「断られるときに多い理由」「ありがちな誤解」については、どう理解してもらうかをあらかじめ用意し、ある程度シミュレーションしておくといい。それを私は、「ネック・トーク」と名付けている。

読者のみなさんは、単純なことのように思われるだろうが、相手のネックをきちんと聞き出し、アドリブで発想の転換を促せる営業マンはなかなかいないのが現実だ。

なぜなら営業マンというのは、概してニーズを聞き出すのは得意だが、ネックを聞き出すのは苦手だからだ。ネックは自分たちにとってネガティブな内容なので、聞きたくないという心理が背景にある。悪いことを相手に話させることで、それが現実になってしまうという気持ちもあるだろう。

ネックへの対応は、このように心理的な要因が強く、なかなか根深いものがある。だから、ほとんどの営業マンは、「契約しない原因は何なのでしょうか？」とは、聞けないのだ。聞けないから、ネック・トークはいつまでたっても進化していかない。この能力を高めるのには、勇気と時間が必要なのだ。

具体的な提案で「ネック」を克服する

そこで私は強く説得した。

「たとえ怖くても、ネックを積極的に聞き出してください。ネックを具体的に羅列して、それぞれそれを解決する、あるいはそれを補うメリットを提案することで、営業成果はぐんぐん上がるはずです。また、このように考えてみてください。ネックを聞き出さなくても営業能力の低い人は契約が取れません。どっちみち契約が取れないのであれば、ダメもとでネックを聞き出してもいいじゃないですか」

ネックは人によって実に様々で、営業してみないと分からないことも多い。

「宅配していただけると私はとっても助かるんだけど、うちは何でも夫に相談しないと決められないの。お返事、来週まで待ってもらえるかしら」

「お米もお野菜もご近所のお店との付き合いがあるの。ごめんなさい」

こうしたネックに対しても、それをきちんと受け止めた上で、具体的な解決策や提案をしながら、丁寧に克服していくことが肝要だ。

たとえば、「夫に相談しないと……」という女性には、こんなトークを用意しておく。

「それなら、ご主人のお酒のおつまみにお勧めしたいものがあるんですよ。今月からカタログに入った最高級のチーズ、これは帯広の酪農場で作っているんですけれど、東京や大阪の最高級のレストランも使っているんです。それをご主人に伝えていただけないですか」

また、「近所の付き合いがある」という相手には、こう提案してみる。

「ご近所付き合いは大切ですから、もちろんお米やお野菜は今までのお店で買っていただいて結構です。ただ、コープでは食料品だけでなく、様々なサービスも提供しているんです。たとえばコンサートのチケットなども購入することができるんですよ」

それぞれのニーズとネックはきちんとメモし、あとから整理しておきたい。この二つは表裏一体であることも多い。

ニーズはパンフレットにも書いてあることだ。これを語れないようでは営業マン失格である。しかし、それよりも上を目指すならば、ネックを克服する力が求められる。また、ネックの中には、商品改良や新規ビジネスの思わぬヒントが潜んでいることもある。

代表的なニーズとネックを把握する

ニーズとネックは個々によって異なるが、代表的なものを頭に入れておくことも大切だ。それはその商品の特徴や長所、あるいは弱点や問題点を把握することでもある。このノウハウは、どのような業種業態でも、また、法人営業、個人宅営業といった営業スタイルの違いにかかわらず役立つ。

コープさっぽろの宅配事業本部が調べたところ、主なニーズ、つまり加入動機の上位一〇項目は以下のとおりだった。

①重い物、かさばる物を届けてくれる
②お店では買えないオリジナル商品やこだわり商品がそろっている

③カタログから選べるので、好きな時間にじっくり検討できる
④自宅近くに店が少ないので助かる
⑤「赤ちゃんサポート」（ミルク、おむつなどを届ける。現在は「子育てサポート」にリニューアル）が便利
⑥歩いて買い物に行けないので助かる
⑦「生協」ブランドが好きだから
⑧安全性が高いというので安心できる
⑨高齢者に優しいシステムだから
⑩留守の時にもフレキシブルに対応してくれると知ったから

そして、次の一〇項目は、同じくネック、つまり拒否理由の上位一〇項目だ。

①スーパーや商店が近くにあるから宅配の必要がない
②商品は現物を見て購入したい
③もっと歳をとってから検討する

④家族が少ないので、注文するものがない
⑤お店での買い物が好き
⑥健康のために歩いて買い物に行くことを大切にしている
⑦システム料金が高い
⑧カードを持ちたくない
⑨宅配は生活環境に合わない
⑩買い物は家族がやるので必要ない

ニーズもネックも、この上位一〇項目が全動機の約八割を占めていた。人の思考パターンは似ているということだ。

逆に言えば、主たるニーズとネックをきちんと把握すれば、営業トークはかなりやりやすくなる。ニーズに関しては、この一〇項目のどれかに強い動機を感じてもらえるように会話の話題を工夫する必要がある。ネックに関しては、これら上位一〇項目が、そのまま断りの台詞として頻繁に使われることを念頭に置き、それぞれのネックを解決するトークを用意しておかなくてはいけない。コープさっぽろではそれらを営業バイブルにまとめている。

ネック・トークを用意しておく

たとえば、ネック①の「スーパーや商店が近くにあるから宅配の必要がない」に対しては、宅配営業部では、次のようなネック・トークを基本とした。

「お客様のお宅は、スーパーが近くにあってとても便利ですよね。実にうらやましいです。普段のお買い物に不自由されていないことはよくわかりました。ただ、トドックにはスーパーにはないこだわり商品がそろっています。これらをカタログを見ながら選ぶのは楽しいですよ。日常品の買い物はスーパーで、特別な商品はトドックで、というのはいかがですか」

そして、ネック③の「もっと歳をとってから検討する」というネックに対してはこうだ。

「たしかにもう少しお歳をとってからでいいと皆さんおっしゃるんですよ。でもトドックの品揃えは年代に縛られません。食べ盛りのお子様のいるご家庭にぜひお勧めしたいお買い得な食材から、他店では買えない札幌や函館の老舗の銘菓もあるんですよ。きっと満足していただけるはずです。私の家でも買っています」

営業能力に自信のある人は、「これぐらいのセリフ、アドリブで言えるだろう」と思うかもしれないが、成績の悪い人は、〝これぐらいのセリフ〟すら言えないのだ。そこを理解しなければ、組織全体の能力の底上げはできない。

「YES、BUT法」でネックを外す

さきほどの二例のネック・トークを見ていくと、共通の会話のパターンが見えてくるだろう。営業マンは、ただトドックの魅力をストレートに押しつけるのではない。まずお客様が主張する「ネック」を聞き、それに同意した上で、今度は相手が喜びそうな「ニーズ」を提案して共感を得ていく。

これは、「YES、BUT法」という会話術だ。

「YES、BUT法」で大切なのは、まず相手の言葉は絶対に否定しないこと。その主張や説明を、ときおりうなずいたり、ほめたり、同意したり、うらやましがったりして、受け入れる。

相手の話を全部聞くことも重要だ。途中で遮ったり、話の腰を折ったりしてはいけな

い。人間というのは、しゃべりたいことを全部しゃべると、心が満たされる。相手が全部しゃべりきって、心にゆとりができたタイミングで、ソフトに営業トークを展開していくのだ。

たとえば、ネック②の「商品は現物を見て購入したい」は、自然な欲求だ。

「野菜のような生鮮品はものを見て買わないと不安ですよ」

「おっしゃるとおりです」

「でしょ？」

「ええ。でも、トドックの場合は、配達日に合わせて入荷しているので、常に新鮮です。それと、生産者がわかる野菜が多いから安心ですよ」

ネック⑥の「健康のために歩いて買い物に行くことを大切にしている」は、お年寄りが宅配を頼まない定番の理由だ。

「宅配は、僕にはまだ必要ないよ。健康のために歩いて買い物に行くことにしているんだ。人間は脚から老化するからね」

「歩くのは素晴らしい心がけですね」

「うん。そうだろ。あなたも歩いたほうがいいですよ」

「はい。ぜひそうします。でも、お米やビールのような重いものを買う時も、ご自分で運ばれているんですか?」

「ああ……、あれはけっこう腰に来るね」

「せっかくたくさん歩いていらっしゃるのに、腰を痛めて本末転倒になってしまわないように、重たいものだけでもカタログ購入をご検討してみませんか」

これらが「YES、BUT法」だ。

簡単に感じるかもしれないが、現場で実際の相手と話すのに慣れるには場数が必要だ。相手も状況もその時によって違うからだ。

営業マンは、契約を獲得したい気持ちがつい前面に出てしまう。自分の会社や商品を否定されると、つい反論したくなる。それを営業の土俵際でこらえてじわじわと盛り返していくようになるには、時間がかかる。

営業は技術だけではなく人間力も磨く必要があるのだ。

第12章　相手の心に寄り添う

「引っ越しシーズン」は稼ぎ時

コープさっぽろのようなエリア限定の個人宅営業の場合、「引っ越し」はマイナスでもあるが、プラスにもつながる。

転居先が営業部の管轄内なら対応することができるが、管轄外の場合はこちらの努力では致し方がない。しかし、裏を返せば、転居していく世帯があれば入居する世帯もあるということだ。転居してしまう家庭を追いかけることはできないが、引っ越してきた世帯はつかまえることができる。

そう考えると、三月・四月の「引っ越しシーズン」は営業部隊にとっては勝負時と言える。この時期は、人事異動や入社・入学の季節で、新しい土地で新しい生活を始める人が一気に増えるからだ。

そんな時期の成功例を見てみよう。

「おっ！」

担当エリアにあるマンションの前に引っ越し会社のトラックがとまっているのを見て、営業マンの高田さんは思わず感嘆の声を上げた。トラックからは家具や家電が次々と運び出されている。新入居である。営業のチャンス到来だ。その家、さすがにその日は忙しいに違いないと思い、翌日午前に訪問した。

「はい！」

インターフォンの外部スピーカーからしっかりとした女性の声が響いた。

「コープさっぽろ宅配サービスの高田と申します！」

「どういったご用件でしょう？」

「トドックという定期宅配サービスのご利用をご検討いただけないかと、ご案内にうかがいました」

すると、ドアが開いた。Tシャツにスエットパンツ姿の女性が姿を現す。四〇代後半くらいだろうか。まさに引っ越し直後で、家の中の整理をしているさなかといった服装だ。

「うち、昨日越して来たばかりなのよ」

「はい。そのご様子ですね。どちらから来られたのでしょう？」

「神戸なの。あちらでも、コープの宅配のお世話になっていたわ」

「ありがとうございます！　では、こちらでも、ぜひご検討を」

高田さんははやる気持ちを抑えるのに必死だ。

「それがねえ……」

「何か？」

「ここではしばらく様子を見てから宅配をお願いするかを決めよう、って主人と話していたのよ」

「もしよろしければ、その理由を教えていただけますか？」

「地元の利」を活かした情報を提供する

「せっかく、新しい街へ来たでしょ。だから、週末にこのあたりを二人で散歩しながら、スーパーを探そう、って」

「それはいいアイデアですね！　この周辺は札幌オリンピックの会場だったこともあっ

て緑豊かで、お散歩には最適のロケーションです」

「そうでしょ！　楽しみなのよ」

「でも、お引っ越しされたばかりで、いろいろとお買い物をされると思いますが、荷物を持って歩かれるんですか？」

「それも運動にいいんじゃないかしら」

「お言葉ですが……、一番近いスーパーまでは、ここから少し歩くかと思います」

「あらっ、不動産屋さんは一〇分って言っていたけれど」

「それはいわゆる〝不動産時間〟ではないかと」

「不動産時間？」

「不動産表示の徒歩時間は、『道路距離八〇メートルにつき一分』って決められているんですけど、実際にはもっとかかることが多いのです」

「あらあ……。じゃあ、スーパーまで、実際はどのくらいかしら？」

「女性だと一五分はかかるかと」

「そんなに！」

「お散歩は、買い物のついでではなく、手に何も持たずに楽しんだほうがいいかと思います」

「そうよねえ。このあたりのコンビニ事情はどうなのかしら」

「コンビニは一〇分ほど歩けば、国道沿いにございます」

「それでも、一〇分なのねえ」

「しかも、都心部と違って、二四時間営業ではございません。そのお店は夜一時にクローズします」

「そうなの？　やっぱり地元のかたに教えていただくべきねえ」

「私どものオフィスにこの近所に住んでいる女性スタッフがいるので、今日の午後一緒にうかがいましょうか？　彼女ならば、私よりももっと役立つ情報を詳しくお話しできると思います。女性なので、日用品を買う環境を熟知しております」

「助かるわー。お願いしていいかしら」

「もちろんです！」

その日の午後、高田さんは約束通り近隣に住む女性スタッフを伴ってこの家を訪れ、契約にいたった。引っ越してきたばかりのお客様に周辺情報を親切に案内したこと、お客様のニーズに的確に答えられるスタッフを同席させたことなどが功を奏した。これ以降、三月・四月は、近隣情報をたっぷりとしこんで、新入居の世帯を訪問することを心がけている。

三月・四月に限らず、その季節だからこその営業方法はほかにもある。クリスマス前には、札幌や函館の人気洋菓子店のケーキをホールで届けるサービスを紹介する。暮れには、正月用に生産者を明確にしたお米をついた上質なお餅を紹介する。それらを魅力に感じて入会してくれる世帯は少なくない。

「YES、QUESTION法」

ネック⑦の「システム料金が高い」にはどうしたらいいだろう。ちなみに、システム料金とは、一回発注するたびにかかる手数料のことだ。

「あらっ、コープの宅配って、手数料がかかるの？　知らなかったわ。だったらやめておくわ」

「そのお気持ちはわかります。出費はできるだけ少なくしたいですよね」

「そうよ」

「ところで、お客様、お買い物はどちらへ？」

「隣町よ。そうそう、コープのスーパーにもいつも寄っているわよ」

「隣町の店に行くときの交通手段はどのようにされていますか？」

「たいていバスだわ」

「バスの運賃は、宅配の手数料と比べていかがですか？」

「たしかにバスの方が高いわ」

「よろしいんですか？」

「よく考えたらそうよね――。やっぱり宅配、お願いしようかしら。今お話していて気づいたんだけど、お米を持ってバスに乗るのも大変なのよ」

これは「YES、QUESTION法」という営業トークのテクニックの一つである。

相手の言い分をまず肯定し、受け入れ、その後に質問を投げかける。相手は質問に答えるプロセスで、徐々に自分の考えにも間違いがあったことに気づく。

ここで重要なのは、営業マンに勧められたからではなく、自分で考えて決めたと思ってもらうことだ。人は誰かに勧められて、つまり自分以外の誰かの意思で決めるよりも、自分自身の意思決定で行うほうが気持ちがいい。「YES、QUESTION法」で契約をすると、その後、営業マンと顧客がいい関係を築いていけるものだ。

この会話は、とりわけヒアリング能力、つまり〝聞く力〟が問われる。

営業トークというと、アグレッシヴに話し続けるイメージがあるかもしれない。しかし、相手の話にきちんと耳を傾けることが最も重要だ。そして話の内容を正しく理解し、タイミングよく相槌を打ち、相手が気持ちよくなるような問いかけをする。ただ単に一方的に話し続けるのと比べて、脳の中で行う作業がものすごく多い。事実、疲労度も濃い。また、高いスキルが必要とされるので、場数を踏まなくてはいけない。

営業コンサルタントの仕事を通して確信していることは、コープさっぽろのような少額商品であれ、住宅や自動車や保険のような高額商品であれ、マシンガンのようにしゃべるよりも、相手の話をじっくり聞くタイプの営業マンのほうが、成績がいいということだ。

商品説明はとにかく具体的に

商品の説明はできるだけ具体的に語ると、説得力が増し、相手は興味を持つ。

コープには「CO・OPコアノンシリーズ」というエコ商品がある。この商品の営業トークをシミュレーションしてみよう。

〝コア〟は芯。〝ノン〟は無。つまり、芯を省いたトイレットペーパーだ。これを勧める際、「トドックで扱っているコアノンシリーズはエコでとってもお得なんですよ」などとあいまいな紹介をしても、相手は興味を示さない。

「トイレットペーパーって、芯をやめて崩れないようにきっちりと紙を巻くと、どのくらい長くなるか、ご存知ですか？」

「さあ……。一・五倍くらいかしら」

「二倍になるんですよ」

「ホントに⁉」

「はい。つまり、今ご自宅で使っている標準のトイレットペーパーの倍、長く使えることになります」

「知らなかったあー」

「トイレットペーパーの紙芯って、五グラムくらいあって、紙芯一つ作るのに必要な木材は割りばしに換算すると三膳分です。今、日本全国で年間三万トンのごみになっているんです」

このコアノンシリーズのトイレットペーパーは実際に魅力的な商品だが、「二倍長く使える」「五グラム」「割りばし三膳分」といった、数字を含む具体的な説明を加えることで説得力が一気に増して、相手の脳に印象強く残る。「ほしいわ」という気持ちにさせる。

もう一例あげよう。オホーツク海で獲れるホッケを干した「うまみ干しホッケ」である。「脂がよくのったおいしい季節のホッケです」程度のトークでは、抽象的でほかとの差別化ができない。

「オホーツク海の縞ホッケの、脂が一番のっている時期、わかりますか？」

「冬、よね？」

「はい。一〇月から翌年の二月くらいまでです。脂肪分は一五～二〇％です。人間の体脂肪率ならば標準の部類ですが、魚の場合、脂肪分が一五％を超えるともうトロトロだと思ってください」

「干しても、脂肪分は落ちないのかしら」

「ご心配なく！　八～一〇時間干していますけれど、余分な水分がなくなることでうま味が凝縮されます。表面はカリッとしていて、中身はふっくらです。しかも、特殊な機械を使って、骨が左右均等に分かれるようにカットしているので、塩分も均等に染み込んでいます。塩は天日塩と国産の赤穂塩です」

ここでは「一〇月から翌年二月」「一五〜二〇％」「八〜一〇時間」といった数字と、「トロットロ」「カリッと」「ふっくら」という表現、そして「天日塩」「赤穂塩」という単語によって具体的にイメージできる。これができれば、相手は興味をそそられ、どうしても食べてみたくなる。

あいまいな営業トークは避ける

具体的という意味では、商品紹介だけではなく、期日も明確にするべきだ。

「後日またうかがいます」

「あらためてご連絡さしあげます」

「カタログはできるだけ早くお送りします」

こういったあいまいな言い方は、なるべく避けたほうがいい。また、「後日」や「できるだけ早く」は、人によって解釈が違う。明日も後日だし、翌週も後日だ。「早い」も今日明日と思う人がいれば、一週間くらい後でも気にならない人もいる。おたがいの間に必ず認識のずれが生まれる。

「明日の午後再度うかがうつもりですが、ご都合のいい時間帯を教えていただけますか」

「帰社してすぐ確認して、今晩お電話をさしあげたいのですが、八時前ならご迷惑になりませんか？」

「トドックのカタログは今日宅配便で発送しますが、夜の便になってしまうので、お手許に届くのは最速で明日一四時から一六時になります」

このように「明日」「八時前」「明日一四時から一六時」など時間を明確にする。これによって仕事の進行がスムーズになり、しかも相手もしっかりと予定する。

ただ、時間は自分だけでは判断できないケースもある。そういうケースは、返事できる時間を伝えればいい。

「本日帰社して確認して、いずれの結果だとしても夜七時には一度ご連絡をさしあげます」

「上司があいにく出張中なので、明朝確認して、午前中にはお電話します」

可能な限り明確にすることで、営業マンとお客様との間の信頼関係が築けるのだ。

営業マンを成長させるケーススタディ

さて、ここまでは、「営業バイブル」に沿って、コープさっぽろの多くの営業現場を再現してきた。このように営業バイブルは物語調でまとめているので、営業の流れを摑みやすい。読み進めているうちに、「私だったら、そうではなくこう言うのに」「なるほど、その切り返しは上手いな」などと、主体的に考えるくせがつく。

営業は、このような実例を数多く覚えることで、その感覚を養われていく。これがケーススタディだ。

営業コンサルタントとして経験を積み重ね改めて感じたことだが、営業関係者は、驚くほどこのケーススタディを軽視する。これは、「営業にマニュアルは役立たない」という誤った考え方が蔓延していることと根本は共通しているように思えてならない。知識を体系立てて学ぶ感覚が身に付いていないのだ。

ナレッジマネジメントを研究している一橋大学の野中郁次郎名誉教授は、「個人の知識を組織的に共有し、より高次の知識を生み出す」ことの重要性を説いている。

これは、まさしく営業バイブルの目的と合致している。営業現場を再現したケーススタディを数多く覚えることで、営業現場での対応を確かなものにし、その確かな対応のなかで更に新しい対応が生まれ、また営業バイブルのなかに盛り込まれていく——その積み重ねこそが、営業の能力を確実に底上げし、共有するノウハウをより高度にする。

第13章　育成に手間を惜しむな

「自分で考えろ」と「一度教えた」はタブー

これまでも度々述べてきたが、いかに同じことをくり返し教えることができるかは、マネジャーにとってとても大切な資質だ。

組織は、基本的にピラミッド型だ。切磋琢磨して実績を上げた社員が昇格していく。そのいただきに社長がいる。だから、概して上司は部下よりも成績は優秀である。

成績が優秀であればあるほど、理解力がある。仕事の呑み込みが早い。人によっては一つのことを教えられただけで一〇のことを察する。そういう人ほど、ほかの部下や同僚も自分と同じだと錯覚しがちだ。察しが悪い人間、理解力が低い人間、記憶力が悪い人間が許せない。それ以前にそういう人のことを理解できない。

上司が部下にけっして言ってはいけない言葉がある。

「言われなくても自分で考えろ」

「一度教えたじゃないか！」

この二つはタブーだ。

ほとんどの人間は、教わらないままだと何もできない。そして一度話を聞いただけでは覚えられない。一つのことを教えられたら、せいぜい〇・〇一ほど理解すると思っていれば間違いない。言い方を換えれば、一〇〇回言われれば、人はたいていのことは覚える。多くの宗教がこの手法を使っているし、社是や社訓を毎朝、朝礼で唱和させるのも、狙いは同じだ。

だから、大切なことは何度でも言わなくてはいけない。

「これは先週言ったから大丈夫だな」

などと思ってはいけない。相手は自分とは違う。躊躇せず一〇〇回でも二〇〇回でも同じことを教えるのだ。

「それ、昨日も聞きましたよ。毎日同じことを言わないでくださいよ」

部下や後輩に言われても、ひるんではいけない。

毎日同じことを言う自分に、自分自身も嫌になることだってあるだろう。ばかばかしくも感じるだろう。

しかし、幹部や管理職やリーダー的立場の人が、来る日も来る日も同じことを言えることが、改革ではものすごく重要だ。それが改革のカギになるといっても言い過ぎではない。

成績の悪い部下こそかわいがる

第3章で「二－六－二の法則」について述べた。どんな組織も二割の「優秀社員」、六割の「標準社員」、二割の「不良社員」で構成されている。

そして、優秀社員以外に集中してマネジメントを行うこと、つまり、「凡人」の強化が肝要だ。優秀社員は放置していても、勝手に結果を出す。マネジャーは、それ以外の社員と積極的にコミュニケーションをとるべきだ。未完成の、伸び代の多い営業マンに有限の時間を振り分けるのだ。

「そんなことは十分に理解しています」

この話をすると、ほとんどの会社でそんな反応をされる。

しかし、リサーチすると、多くのマネジャーが成績優秀者とばかり仕事の会話をしていることがわかった。成績優秀な部下とは一週間に三回も四回も一対一で仕事の会話をしているが、成績が芳しくない部下とは二週間に一度程度しかそうしないというのが一般的だ（大勢で接する会議は、ここではカウントしない）。実のところ、思い当たる人も多いだろう。

成績のいい営業マンは前向きだし、多くの場合は自信にあふれているし、理解が早いので、マネジャー自身の気持ちも高揚する。しかし、成績の悪い営業マンはまず前向きな話はしないし、言い訳をするし、理解力も劣る。仕事の会話をすると腹が立ってばかりなので、つい後回しにしてしまう。また、優秀な部下は報告案件も多いので部下からの接触も多くなるが、成績の悪い部下は報告案件も少ないので余計に仕事の会話が遠のく。

それらの気持ちは理解できなくもない。しかし、職場の同僚は友達ではない。チーム全員で、会社に貢献する義務を負っている。時間とエネルギーを自分の楽なほうに配分するべきではない。

そのように考えたら、成績の悪い相手とこそ、努めてコミュニケーションを取るべきなのは明白だろう。彼らの伸び代は大きいが、ちょっと油断をすると簡単に成績が降下する。常に手綱を引いておかなくては危険だ。

「年長者」に手加減してはいけない

コープさっぽろの営業改革の現場では、年長者にも手加減をしなかった。スタート時の営業マンの平均年齢は五〇・一歳。かなり高年齢である。五〇代後半の営業マンもいたし、あと一年で定年退職を迎える営業マンもいた。

しかし、三〇代から五〇代まで、全員に分け隔てなく営業改革に前向きな姿勢を求めた。

「私なんか、あと一年しか会社にいないんだから、放っておいてくださいな」
「五〇代も後半になったら、新しいことはもう無理ですよ」
「私には私の長年続けてきた営業のペースがあり、やり方があるんです。それをもうちょっと尊重してもらえんだろうか」

そんな声も一切受け付けなかった。

年齢が高かろうが、定年が近かろうが、会社は給与を支払っているのだ。それどころか、若い営業マンよりもはるかに高い人件費がかかっている。それなのに、年長者だからという理由で特別扱いするわけにはいかない。それに例外を認めると、全体の空気が緩むものだ。

「営業改革のスタートは、ここにいる全員にとってのスタートなんだべや。例外を認めるわけにはいかねぇんだ」

「たとえ来年定年でも、たった一年でも成長できる姿を後輩たちに見せてやってくれ。お手本になってもらいたいのさ」

このように行沢部長は個別面談で説いたという。

事実、営業は必ずしも体力勝負ではない。元気潑剌でぐいぐい押せば、契約が決まるわけではない。相手の懐に入って、穏やかに世間話をして心を通わせていくなど、年配者だからこその手法はいくらでもある。

個別面談で改革の必要性を全員に説いた行沢部長は、全営業マンの八割以上の意識改革を自分へのミッションとして課したという。

「全営業マンの八割以上がやる気になってくれれば、この停滞した大きな船は動き出す」

そう信じて、毎日毎日話し続けた。年長者が多いので、頑固者も多い。それでも八割の営業マンと握手を交わすまで、面談をやり遂げる執念を持ち続けた。

その甲斐もあって、結果的には、約九割の営業マンがやる気のある態度を示した。

同じことを繰り返し言い続ける

「営業でまず大切なのは『営業量』だ！」

「『結果的怠慢時間』をなくそう！」

「『見込案件』の取りこぼしがないように！」

営業コンサルタントが同じ内容を繰り返し言い続けていると、クライアントの多くは不安になるらしい。

「何か新しいことを話してもらえませんか」

三社に一社は言ってくる。

このようにリクエストしてくる企業は、営業コンサルティング導入時の目的を忘れてしまっているのだろう。いつの間にか「業績向上のために何をすべきか」ではなく、「改革プログラムが計画通り消化されているか」ということに変わってしまっているのだ。

例えば、「業績向上のための施策」として、「見込案件には、二週間以内に再訪する」と決めたとしよう。ところが、三か月が過ぎた時点でデータチェックをすると、営業マンの五割が守っていなかった。

このような場合でも、次に打つ手は新しいノウハウではない。もう一度同じことを繰り返すことだ。目前の課題を実行できていなければ、新しいことをしても何にもならない。

そのことが、なかなか伝わらない。あるクライアントの営業役員からこんなことを言われたことがある。

「あなたに来期も継続してコンサルティングをお願いしたいのですが、一部の営業マネジャーから反対意見もある状況なのです」

「どのような反対意見ですか?」

「コンサルティングで同じ話ばかり繰り返すことがあるので新鮮味がない、ということのようです」

私は次のように返した。

「教えたことがすぐにできる社員ばかりであれば、こんな楽なことはありませんが、そのような優秀な営業マンのほうが少数です。だからこそ、社員のレベルに合わせて、何度でも同じことを教えてあげることが、育てるということなんです。私が、コンサルティングで何度も同じことを繰り返し言っているのも、御社の営業マネジャーや営業マンたちが、まだまだできていないからなんです。

多くの人は、耳にタコができるくらい同じことを言われて、ようやく理解します。私は同じことを一〇〇回でも話すつもりです。

コンサルティングは、学校の授業のように、『一通り教えたらいい』というものでは決してありません。重要なことを、できるまで何度も刷り込むように教えることが基本です。また、それが私のプロとしての信念です」

第14章　モチベーションは作り出せる

「自己分析」のできない営業マン

一〇年もコンサルティングの仕事をしていると、いろいろなことがわかってくる。中でも重要なことは、ほとんどの営業マン、営業マネジャーは、「自己分析」が苦手だということだ。

私は、新しいクライアントでコンサルティングを開始するとき、営業マンに「自己分析シート」を書いてもらうようにしている。しかし驚くほど、自分自身のありのままの姿が見えていない。

たとえば次頁の図を見てほしい。これは「自己分析シート」のサンプルだ。この中に書かれているように、「潜在ギャップが生じている理由はなんでしょうか？」ということを分析させると、おおかた次のような理由があげられる。

【自己分析シート】

(氏　　名)	(役　　職)	(所　　属)	(記 入 日)

「自己分析シート」

設問①……あなたの本来の実力の潜在能力を100とすると、
現状、発揮できている実力はどれぐらいでしょうか？ □
➡100と現状の実力との差を'潜在ギャップ'と名付けます。
設問②……潜在ギャップが生じている理由はなんでしょうか？（優先順位5位まで）
設問③……またそれぞれの理由に対する対策は実行していますか？（YES／NOのどちらかに○印）

	ギャップ理由	対策実行	
		YES	NO
1			
2			
3			
4			
5			

設問④……③の回答（YES／NO）に従って、具体的に記入してください。

	YES（実行中の対策内容）	NO（対策してない理由）
1		
2		
3		
4		
5		

以上

新しいクライアントでコンサルティングを開始する際に、営業マンに自己分析してもらう。

「市場環境が悪い」「商品の競争力が低い」「販促ツールやパンフレットなどの訴求力が弱い」――。

しかし、どれも単なる責任転嫁だ。

「市場環境」も「商品の競争力」も「販促ツールやパンフレット」も改善すべきところがあるのが事実であったとしても、営業マンの仕事は、まずは、与えられた環境、商品、ツールで最高の結果を残すことだ。そのために、「いまの自分には何が不足しているのか」「できる営業マンとの違いはどこにあるのか」というように、自分自身を見つめ直すことから始めなければならない。ところが、「自己分析シート」に書かれてくる内容は、自分以外の要素に責任を転嫁する言葉が並ぶ。

それならば、営業マンはどうすればいいのか。

それは「自分自身が見えていない」「自己分析ができない」ことをはっきりと自覚し、あらゆる「我」を捨て、新しいやり方を受け入れることに努めることだ。営業改革に対しては、自らの常識や固定観念で批判するのではなく、一度そのまま改革策を実行してみるべきだ。抵抗したり斜に構えたりすることは得策ではない。新しい方法に身を委ねる「素直さ」こそが、自分を変える原動力になる。

「外部の力」を活かすには

外部からコンサルタントを入れる会社はたくさんある。しかし、うまく結果に結びつく会社もあれば、うまくいかない会社もある。ましてや、これまでのやり方を抜本的に変えようという「改革」は、なかなか成功しないのが現実だ。

それでは、うまくいく会社にはどんな共通点があるのか――。それはこれまで述べてきたとおり、トップダウンの機能が働いていることだ。

「改革」とは、シンプルに考えれば、いままでとは異質の文化を入れるようなものだ。トップダウンの機能がなく、「その施策を取り入れるかどうか社内調整をしますので、しばしお時間をいただけますか」「実際に現場で動く営業マンたちから不満の声が聞こえてくるので、多少いままでのやり方を残した形にしてください」といった、意見調整型の会社はなかなかうまくいかない。

日本ではボトムアップが大切にされる現場が多いが、業績アップが待ったなしのときは、そんな悠長なことをしてはいられない。また、成果を上げられていない現場に、その意見を確認する経営感覚は既にズレている。改革の機は、このようにして逃してしまうのだ。

そもそも、外部の力を導入しようとしているのに、「やっぱり外部の人間が我が社のことを理解できるはずがない」と抵抗を示すようでは、外部に依頼する意味がない。本末転倒だ。

その点、コープさっぽろは見事だった。私の提案した改革案を次々と実行に移していった。「改革する！と決めたからには、徹底的にやる！」という大見理事長の情熱がひしひしと伝わってきた。

その過程では、より改革を推進できる人材を責任者に登用したり、人事考課や給与体系の改訂にも着手した。人事や給与といった会社のシステムにメスを入れるのには、経営側の強い意志が必要だ。

逆に言えば、その意志さえあれば、できない改革はない、と言える。

「腑に落ちないこと」こそ人を育てる

講演会で私はよく、営業マンが結果を出す上で重要なのは、「含蓄」「実行」「想定」「意欲」だと話している。

「含蓄」の元の意味は「表面には現れない深い意味や内容」ということだが、私はこれを「自分では理解できないことほど、それを取り入れ、真似をする努力をしよう」ということを伝えたいときに使っている。

仕事の現場ではしばしば、自分の理解の範疇を超えたこと、根拠がわからないことを指示される。どういう結果をもたらすのかも想像できない。そんなことは当然やりたくないだろう。「この人の言っていることは間違っている」――そう決めつけてしまうのも無理はない。

しかし、理解できないことほど、やってみる価値があると考えるべきだ。というのも、自分の物差しと相手の物差しは、長さも目盛りも違うからだ。相手は一メートルの物差しを目安に語っているのに、自分は三〇センチメートルの物差ししかもっていなかったら、指示を理解できるわけがない。

講演会をすると、終了後に「〇〇の大切さがわかった」「△△の説明に納得した」などと言いに来てくださる方がいるが、私はそのときに、「逆に、腑に落ちなかったことは何ですか?」と聞くようにしている。「腑に落ちなかった内容」こそ、営業の「含蓄」が詰まり、その人を成長させる余地がある部分だからだ。

そして、難しいと感じても、やりたくないと感じても、その意味がわからなくても、まずは「実行」してみることだ。それまで一日に四〇件ですませていた営業を「一〇〇件やれ」と言われて、喜びを感じる営業マンは少ないだろう。それでも、これまでやったことがない何かをやると、目の前に新しい扉が開く。過去に見たことがない世界が広がるものだ。

ただし、ただ闇雲に実行するのでは、出せる成果も出せない。「想定」は、実行する前にイメージトレーニングするという意味だ。

「子どものいない若い夫婦の家庭は、なかなかドアを開けてくれないんですよ」

泣き言をいう営業マンは多い。

しかし、若い夫婦への営業で次々と成果を上げている営業マンもたくさんいる。そういう成績のいい営業マンはみなシミュレーションを行っている。行き当たりばったりの営業トークは使っていない。二〇代夫婦が喜びそうなトーク、三〇代夫婦が興味を持つトークをリサーチし、工夫し、いくつかのパターンを繰り返し覚え込んで営業の現場にのぞんでいるのだ。

ただし、よほどセンスがある人でない限りは、経験のないトークをイメージできるものではない。トレーニングを重ね、場数を踏んで、失敗と反省を繰り返して身に付けていくことだ。

「意欲」を変えるのが一番難しい

そして、最後が「意欲」である。

この意欲をガラッと変えるのは、実は一番難しい。というのも、意欲は理屈ではないからだ。意外に思われるかもしれないが、意欲というものは、人生観が大きく支配している。

「この会場の中で、自分の部下の仕事意欲をガラッと変えることに成功した人はいますか？」

講演で参加者に問いかけると、毎回八割くらいが挙手をする。しかし、そんなはずはない。もし、そんなに仕事意欲の向上が簡単なら、誰もマネジメントで苦労しない。もっと言えば、会社経営だって苦労しないだろう。仕事意欲がなかなか変わらないから、上に立つ者はみな苦労するのだ。

全体で何人の、そしてどれくらいの割合の部下が大きく意欲を変えたのかと再び問えば、それはごくわずかであることがわかる。私も述べ数百人の直接の部下をもったが、正直言って、一〇人もいなかっただろう。

それほど、意欲をガラッと変えさせるのは、至難の業なのだ。

仕事より家族や趣味のほうが、人生の優先順位の高い営業マンに、「もっと仕事に時間を割け！　私なんか寝る間も惜しんで資料を点検しているぞ」と指示しても、なかなかできるものではない。それは第一優先が「仕事」の人の理屈だからだ。

彼らは休日でも時間が許す限り、知識習得に努めたり、総合力を身に付けるために営業関連の書籍を読み漁ったり、なかには会社に出てきてやり残していたデスクワークをしたりする。一方で、「仕事」の優先順位が低い人にとっては、必要以上の時間を仕事に当てたくないものだ。両者の間で、能力差が開いてくるのは、致し方ない。

かと言って、人生において、家族、趣味、仕事のどれが大切かなどということは単純に比較できない。人によって人生の価値観はさまざまだからだ。

また、誤解しないでいただきたいのは、「仕事の優先順位が低い人は、仕事の手を抜いている」というわけではないことだ。中には、営業中に趣味のパチンコで時間をつぶすような不届き者もいるようだが、大半の営業マンは、〝仕事時間中〟は真面目に仕事に取り組んでいる。

つまり、仕事への意欲は、個人の人生観によるので、簡単に変えることができない、ということだ。また、意欲と仕事の成果は、それほど関連性がない。なぜなら、個人の意欲に関係なく、義務感、社会性、給与の対価などという他の動機でもきちんと働くことができるからだ。

上に立つ者は、これらのことを理解した上で、営業マンに接しなければならない。

そこで、私がよく主張していることは、コントロールが難しい「意欲」ではなく、コントロール可能な「モチベーション」に働きかけることだ。

モチベーション・コントロールが仕事に与える影響は、非常に大きい。

「正」と「負」のモチベーションを使い分ける

モチベーションは、大きく分けると二種類ある。「正のモチベーション」と「負のモチベーション」である。

正のモチベーションとは、成果に対して誉める、あるいは成果に応じて報酬を与えることだ。たとえて言えば、テストで一〇〇点を取った子どもにおもちゃを買ってあげたり、お小遣いの額を上げたりするのは正のモチベーションだ。「またおもちゃを買ってほしい」というモチベーションが、次の頑張りを生む。会社員にとっての報酬は、給与や賞与や昇格に反映させることだろう。

負のモチベーションとは、叱ったり、罰を与えたりすることである。家庭ならば、成績が悪かったり悪さをした子どものお小遣いをとめたり、テレビを見ることを禁じたりというあたりだろうか。「テレビを見られないのは嫌だ」というモチベーションが、嫌々ながらも次の頑張りを生む。会社員に対して、減給や本人が望まない部署への異動をチラつかせるマネジメントは、負のモチベーションを利用したコントロール方法だ。

わかりやすくいうと、正のモチベーションは〝アメ〟で、負のモチベーションは〝ムチ〟だ。

では、正のモチベーションと負のモチベーション、会社ではどちらが有効に働くだろうか――。

仕事に対する意欲の高い営業マンには、概して、正のモチベーションが効果的だ。生活の中の仕事意欲のプライオリティが上位にあり、成果が上がっている営業マンはいい流れに乗っている。こういう営業マンには誉めまくって、可能な限り背中を押し、背後から追い風を吹かせるのだ。

一方、仕事への意欲が低く、成績も悪い営業マンには、正のモチベーションよりも、負のモチベーション・コントロールのほうが有効な場合が多い。

たとえば、定時に帰ろうとするあまり、「どれだけ成績が悪くてもいい」「どれだけ今日の仕事を残してもいい」というタイプの営業マンには、心を鬼にして、仕事時間内の行動管理を徹底するしかない。「仕事とプライベートのオンオフを明確にしているのはしかたがない。でも、仕事への義務も果たしていない人間には、特別に日々の営業内容を克明に報告させるようにする」と〝ムチ〟を振るうのだ。

そうすると、「自分だけ克明な営業内容を報告させられるのは嫌だし、たまにサボっているのもばれてしまう。これを回避するには、もっと真面目に働くしかないか――」という負のモチベーションが湧き上がり、嫌々ながらも仕事に取り組む姿勢が変わる人は多い。

改革成功の秘訣は「意識」にある

慶應義塾大学の前野隆司教授の著である『脳はなぜ「心」を作ったのか』（筑摩書房）

によると、人の心は、「知性」「感情」「意思決定」「記憶と学習」「意識」の五つからなるという。最初の四つはコンピュータで代用できる。唯一人間にしかできないことが、「意識」なのだそうだ。そして、この「意識」が他の四つを主体的に統合している。

私は、営業改革の成功も、結局は人の「意識」が左右すると考えている。また、そのような場面を何度も見てきた。これまで述べた意欲やモチベーションは、まさにこの「意識」にあたる。

コープさっぽろの成功は、改革プログラムに「意識」を向けない人を「許さなかった」ことにある。「許さない」と言っても、クビにするという意味ではない。

・営業部のトップマネジャーが、職員一人一人が「意識」を向けるまで一対一で何度も面談を行う
・「意識」を向けない人の言い訳を取り入れない
・「意識」を向ける人を手厚く保護することで、「意識」を向けない人と差を付ける
・「意識」を向けず、不真面目な人に対しても、あきらめずに同じことを何度も繰り返し教えることで、「意識」が向いたらすぐに戦力になれる下地を作っていく

こうした対策を幹部がブレることなく実行し、浸透させたことが大きい。

ところがこうした教育を疎かにしている企業が実はとても多い。研修を行えば社員はその知識を身につけるだろうと甘く考え、上司が指導すれば部下はそれに従うと信じている。

コープさっぽろは、執行部の軸が全くブレなかったこともあり、多くの営業マン、営業マネジャーが一体となって改革案を実行し、意識を同じ方向に向けることができた。そして、いつのまにか、自分を大きく変えることができた。「コープさっぽろの奇跡の営業改革」が成功できた最大の理由は、そこで働く「人」が変わったことなのだ。

誰がヒーローかと問われれば、答えは簡単だ。

「人」だ。

大見理事長はこんなことを言っていた。

「人は変われるということを知ったことが、経営者としては、一番嬉しかったね」

おわりに

コープさっぽろへの私のコンサルティングはその後も続いている。

この本の序章で紹介したが、営業改革が成功した節目は、二〇〇九年六月最終週の一三連勝だったと思う。宮嶋本部長が涙を流したことでもわかる通り、おそらくあそこが分岐点だった。

あの時点ではまだ宅配事業の営業は頼りない状況だった。営業力は身についていなかった。それでも、営業量を増やすことで、気力と体力で毎週の目標値をクリアしていた。目標達成のために、友人知人から獲得した契約もあったかもしれない。

しかし、そうまでして数字に執着したことが大切なのだ。

「何が何でも目標を達成する!」

という体質ができあがった。勝ち癖がついたのである。

これだけ勝ち続けると、「負けたくない!」という強い意志が組織内にも個人にも働く。営業コンサルタントとして、実に価値ある仕事に携わらせていただいた。

このコープさっぽろの成功例は、私の処女作『御社の営業がダメな理由』に書いた営業理論の現実適応性を示したドキュメントとして、誇らしい内容となった。日本全国のあらゆる業種業態の営業部に応用できるはずなので、ぜひ参考にしてほしい。また、本文には隠し味的な趣向として、改革成功のためにクリアしなければならない七つの条件を書いておいた。気づいた方も多いだろうが、もし気づかなかった方は、是非とも読み返して捜してみていただきたい。


なお、この本を書くにあたり、コープさっぽろの大見英明理事長、宮嶋美典前本部長、八木沼隆本部長、行沢隆部長をはじめ、コープさっぽろ宅配事業本部の多くのかたがたのお力を拝借した。ありがとうございます。

最後に、私の営業コンサルティング事業を支えていただいた多くのクライアントのみなさまに感謝を申し上げて本書を締め括りたい。

藤本篤志　1961(昭和36)年、大阪生まれ。USEN取締役、スタッフサービス・ホールディングス取締役を経て、㈱グランド・デザインズを設立。著書に『御社の営業がダメな理由』など。
http://eigyorevolution.com/

Ⓢ新潮新書

622

どん底《ぞこ》営業《えいぎょう》部《ぶ》が常勝《じょうしょう》軍団《ぐんだん》になるまで

著　者　藤本篤志《ふじもとあつし》

2015年6月20日　発行
2018年2月25日　3刷

発行者　佐　藤　隆　信

発行所　株式会社新潮社

〒162-8711　東京都新宿区矢来町71番地
編集部(03)3266-5430　読者係(03)3266-5111
http://www.shinchosha.co.jp

編集協力　神舘和典
図版製作　株式会社クラップス
印刷所　株式会社光邦
製本所　株式会社大進堂

ISBN978-4-10-610622-4　C0234